Het verloren woord

ASSIA DJEBAR

Het verloren woord

UIT HET FRANS VERTAALD
DOOR JAN VERSTEEG

DE GEUS

Deze uitgave is mede mogelijk gemaakt dankzij een bijdrage van het Franse ministerie van Buitenlandse Zaken, het Franse ministerie van Cultuur, het Institut Français des Pays-Bas/Maison Descartes en de BNP Paribas

De vertaler ontving voor deze vertaling een werkbeurs van de Stichting Fonds voor de Letteren en van het Vlaams Fonds voor de Letteren

Oorspronkelijke titel *La disparition de la langue française*, verschenen bij Albin Michel

Omslagontwerp Robert Nix

Druk Koninklijke Wöhrmann BV, Zutphen
ISBN 90 445 0564 5
NUR 302

Verspreiding in België via Libridis NV, Industriepark-Noord 5a, 9100 Sint-Niklaas

Voor Djaffar L.,
wiens liefde voor de Kashba
me tot deze roman heeft geïnspireerd.

'Degene die "ik" zegt, blind... wankelend en in alle modderpoelen vallend:
hij denkt dat het de hemel is, de hemel die opengaat!'

MOHAMMED DIB,
Steenkoude sneeuwvlakten

DEEL EEN

De terugkeer

Herfst 1991

‘In donkere aarde rust de vreemdeling.’
Georg Trakl

Het betrekken van een woning

I

Vandaag keer ik dan naar mijn vaderland terug... 'Homeland', op een merkwaardige manier zong of danste dat woord, ik weet het niet meer, in het Engels door me heen: op welke dag zette ik me, met een weidse en groene zee voor me, weer aan het schrijven – nee, niet de dag waarop ik terugkeerde, ook niet drie dagen nadat ik die lege villa had betrokken. Ik zit hier alleen, zonder speciale gevoelens, heb mijn intrek genomen op de bovenverdieping, waar nauwelijks iets aan meubels staat – een summiere inrichting, een stoel zodat ik aan tafel kan zitten, een slaapplaats, in de keuken een paar pannen en een gasstel, bovendien een versleten Italiaanse koffiepot die nog mee lijkt te kunnen, net zoals ik versleten ben maar 'nog mee kan'!

Eerste dag dus in 'homeland', ik weer 'thuis' in het huis dat mij uit vaders erfdeel is toegevallen, mijn beide broers dolblij met mijn voorstel genoegen te nemen met deze villa aan zee in ruil voor mijn deel van het grote en deftige huis in Hydra-Algiers (drie zonen en twee dochters, dus een kwart voor elke broer en een kwart voor de beide meisjes samen).

In mijn verbeelding snel ik zo naar de straten in de Kashba•, vlak voor de 'gebeurtenissen', zoals de Fransen het toen noemden, dreef mijn vader een koffiehuis in de buurt van de doodlopende straat naar de terrassen. De wereld waarin we als kind leefden bleef

• Kashba (met hoofdletter) verwijst specifiek naar de kashba van Algiers, de oudste wijk van de Algerijnse hoofdstad.

beperkt tot het oude centrum van de hoofdstad en wij noemden onze Voorouders 'Imazighen' – niet die van mijn vader (die er trots op was een Sjawia te zijn); ook niet die van mijn moeder (die in de Kashba geboren was, maar wier ouders afkomstig waren uit het Djurdjura-gebergte, zij sprak geen woord Kabylisch en wilde tot en met haar verfijnde Arabisch een stadsbewoonster zijn); deze 'Imazighen' vormden niettemin onze helden, want het waren Turkse zeerovers die de Middellandse Zee hadden afgeschuimd, die 'koningen van Algiers', van de zestiende tot de achttiende eeuw...

Die dag van mijn terugkeer, languit op het terras liggend, met uitzicht op de eindeloze, vlakke zee, loopt alles door elkaar terwijl ik in mijn middagslaapje wegzink: mijn kindertijd, de uit trappen bestaande straten in het deel van de Kashba waar ik woonde, mijn vroege liefde voor Marguerite – het enige christenmeisje op school – tot de piraten uit de tijd van Barbarossa toe. Het is warm, de zon brandt op mijn buik, ik doezel. Terug, zucht ik in mijn moedertaal (in plaats van in het Berbers, het Arabische dialect in Al Jazirah), ik ben terug en de Middellandse Zee ligt voor me, ik hoor het kabbelen van de golven onder aan mijn terras, ja, ik blijf hier voorgoed, 'mogen de Profeet en zijn echtgenotes', zoals de vrouwen van de familie gewoonlijk uitriepen, 'aandachtig naar me kijken en me mijn zonden vergeven!' Terwijl ik in mijn binnenste de luide stem van mijn moeder hoor, die is overleden, maar in me voortleeft, mijn hart nog steeds verruimt, val ik met een opkomend gevoel van welbehagen in slaap: werkelijk, ik ben thuis, ik ben weer thuis!

2

Na twintig jaar in een Parijse voorstad te hebben gewoond en gewerkt, is Berkane terug. Hij loopt tegen de vijftig; hij ziet er tien jaar jonger uit; maar opeens voelde hij zich oud, of veeleer afgeleefd; afgeleefd, terwijl hij nog in de volle bloei van zijn leven is, komende 13 december is hij jarig, hij blijft gewoon aan zee, er is niemand om die dag met hem te vieren, 'geboortedagen' werden thuis nooit gevierd, zijn grootmoeder had hem vroeger eens uitgelegd: 'Niet omdat de Fransen van een verjaardag een feest maken en wij ze niet na willen doen, nee.' 'Wat is dan de reden?' vroeg het kind. 'Moge de Profeet ons behoeden,' voegden de stemmen van andere vrouwen eraan toe, 'omdat het ongeluk brengt!' Niet echt oud dus, nee, ook niet afgeleefd, of omdat de fut eruit was, nee, hoe was dat gevoel te omschrijven: 'zonder perspectief'? Zo was het gegaan, op een ochtend was hij in zijn eenkamerappartement in Blanc-Mesnil wakker geworden en doelloos rondjes door zijn woning lopend, had hij hardop, en in het Frans, vastgesteld: 'Zonder perspectief. Ik heb niets meer om naartoe te leven!' Dat was afgelopen voorjaar geweest, daarvoor had hij zijn beide broers, die in Algiers waren gebleven (de een was een hoge ambtenaar, de ander journalist) te kennen gegeven bereid te zijn van zijn kwart deel van de erfenis af te zien in ruil voor de bovenverdieping van die villa aan zee, die, hoewel enigszins vervallen, uitkeek op een reusachtig strand dat meestal verlaten was.

Het was spoedig tot een akkoord met de broers gekomen, al was Berkane niet van plan er na terugkeer te gaan wonen; aanvankelijk had hij alleen maar gedacht: komende augustus wil ik graag thuis doorbrengen, met Marise!

Die maand maart, in Parijs, was hij slechts van plan geweest terug te keren om de zomer uit te rusten: vanwege het verlaten strand en het goudgele zand dat zich onder aan de stenen trap van de witte villa voor de poort ophoopte.

Ach, wat zou het, met die gedachte wordt Berkane wakker en bijna werktuiglijk loopt zijn geest de voorafgaande dagen na, komt deze bij het precieze moment waarop hij zijn onherroepelijke besluit nam.

'Onherroepelijk!' herhaalt hij nog eens, hardop, in het Frans.

Dan vraagt hij zich verwonderd af: 'Waarom sta ik hier in m'n eentje, met voor me de zee, in mezelf te praten?' Die overweging schudt hem wakker, alsof hij vreesde een gemene ziekte onder de leden te hebben, de onverwachte symptomen van een moeilijk vast te stellen kwaal waar te nemen…

'Nou ben ik gepensioneerd en sta ik verhalen tegen de zee af te steken!' mompelt hij ironisch, deze keer in de taal van zijn voorouders.

Meteen laat zijn moeder, Halima, binnen in hem een lange, enigszins hees, wellustig klinkende zucht horen.

Want hij is met pensioen, Berkane. Het was allemaal heel snel gegaan: twee weken nadat Marise hem – tijdens een van hun weekends waarvan hij verwacht had dat het even ontspannen en rustig, of misschien even triest, als de andere zou verlopen – liet weten dat ze de verkering uitmaakte, maar hem meteen daarna verzekerde dat ze van hem hield, dat ze nog heel lang van hem zou blijven houden enz. – twee weken later werd hij op een ochtend wakker en belde naar zijn directeur (hij stond aan het hoofd van een kantoor van het fonds voor de sociale verzekering in een naburige voorstad). Hij deelde mee dat hij griep had, dat hij naar de dokter zou gaan. Hij ging niet naar de dokter en niet naar kantoor, dwaalde door Parijs, nam een bus, bleef tot het eindpunt zitten, nam een andere bus, een andere kant op, opnieuw tot het eindpunt, hield ten slotte halt op een van de Seinekaden, ging vervolgens op de stenen rand zitten, met zijn voeten schommelend boven het vuile rivierwater, nietsdoend of in gedachten verzonken, kortom hij liet verstek gaan, terwijl de uren traag voorbij kropen, tot de avondschemering, tot het donker was geworden, waarna hij langzaam naar zijn vrijgezellenflatje terugkeerde; daar vloog de stilte hem aan.

In zijn binnenste een steenwoestijn, of beter gezegd: geleidelijk rees voor hem het beeld op van een hoge muur van dicht opeen gemetselde vuilgele bakstenen, die muur rees voor hem op om hem elk uitzicht te benemen, vervolgens verdween het droombeeld, hij herademde, stond op, liep doelloos naar buiten, opnieuw zag hij een steenachtige hoogvlakte, een grauwe steenwoestijn voor zich – zo ging het al die aprildagen op dezelfde manier, tot de onweerstaanbare behoefte bij hem opkwam om het geluid van golven te horen. Welke golven, van welke zee, hij dacht dat het te maken had met de dagen van bedwelmend geluk, de vorige zomer, die hij met Marise in Saloniki had doorgebracht, nee, dat was het helemaal niet, dat zo nabije gekabbel leek naar iets van langer geleden te verwijzen, dat ergens diep verscholen had gezeten en nu weer tevoorschijn kwam: hij herkende, eerst nog twijfelend, daarna zeker van zichzelf, het ruisen van de zee toen hij nog een jongetje was, toen zijn oudere broer hem met de bus meenam om op het dichtstbijzijnde strand (het Franco-strand waar jonge blanken en een paar Arabieren kwamen) ten westen van Algiers pootje te baden. Ze aten zee-egels, keerden met rode gezichten terug, hun moeder ('mijn moeder die binnen in mij nog steeds lacht', deze woorden gaan door zijn gedachten en doen hem pijn) maakte zijn haar nat met azijn.

Hij dacht aan haar, aan zijn natte zakdoek waarmee ze glimlachend zijn donkere haar depte, vervolgens viel hij met zijn hoofd op zijn knieën op de tegels van de binnenplaats van het ouderlijk huis in slaap: ze deed de olielamp vlakbij niet aan, liet de langzaam vallende duisternis over ons allebei komen terwijl ze een liedje voor 'haar' jongen (hij wist dat hij haar lieveling was) neuriede. Dus twee weken nadat Marise hem de bons had gegeven, hoorde hij toen hij in dat eenkamerappartement in Blanc-Mesnil 's avonds op het punt stond in slaap te vallen de stem van zijn moeder duidelijk, in de Tlemcen-versie, het 'Lied van de ooievaar' zingen. Haar matte stem klonk droefgeestig, ze zong niet echt zuiver, Mma, stelde hij met milde wroeging vast en hij viel die dag in slaap terwijl hij innerlijk met korte woorden een gesprek met zijn moeder voerde, in haar taal, een mengeling van het dialect dat in Algiers op straat gesproken werd en een heleboel verfijnde woorden die een Andalusische klank hadden – zij die in de Kashba geboren was en de ruwe manier van spreken van de mensen uit de naburige bergen beneden zich achtte.

De volgende avonden klonk vlak voor hij in slaap viel hetzelfde 'Lied van de ooievaar' opnieuw, elke keer gezongen door de stem van Mma, waarna hij telkens meteen insliep. 'Nee,' zuchtte hij, 'ze wiegde me niet, ze omsloot me, of beter gezegd, haar dichterlijke woorden, haar zangerige uitspraak en de laatste klank van haar klaaglied, die ze liet trillen, ontroerden in de hoogste mate...'

Hij wilde alles vergeten, Berkane, zijn leven in de voorstad en het feit dat hij het al jaren telkens weer uitstelde 'zijn' ontwikkelingsroman te schrijven. Hij had zijn achtereenvolgens door Parijse uitgevers, en een keer zelfs door een bekende uitgever in de provincie geweigerde manuscripten opgeruimd.

Een week lang streden 's avonds gevoelens van genegenheid en heimwee om voorrang. De vierde of vijfde avond wist hij niet meer of het nu echt zijn moeder was of de stem van Marise (zij zong graag in het Spaans zacht voor zich heen) die hem tot diep in de nacht vergezelde. Want de woorden kon hij niet meer verstaan, hij hoorde alleen nog de melodie, of iets wat erop leek, raakte ontroerd door de hartverscheurende droefheid van dat liedje wanneer het op zijn eind liep.

Opgesloten in deze eenzaamheid, achtervolgd door schimmen, liet hij de maanden mei en juni voorbijgaan. Een paar dagen later zocht hij de personeelschef op, na eerst wat inlichtingen betreffende de financiën te hebben ingewonnen. Hij verbaasde al zijn collega's met de mededeling: 'Ik ga met vervroegd pensioen. Niet dat ik de volle ouderdomsuitkering krijg, ik weet het, ik krijg de helft van de normale uitkering, of net iets meer. Maar omdat ik besloten heb weer in mijn vaderland te gaan wonen, heb ik er genoeg aan!'

En om een eind aan de verbazing van zijn collega's te maken, haalde hij zijn schouders op; tegen een paar mensen met wie hij enigszins op vriendschappelijke voet stond, zei hij nog: 'Ik wil weer gaan schrijven! Daar zal ik al mijn tijd voor nodig hebben.'

Maar in zichzelf voegde hij eraan toe: 'Al mijn tijd, met de zee aan mijn voeten! En het zal stil zijn!'

3

Het is vrijdag, rustdag, hier in dit moslimland. Aan het eind van de middag is het nog steeds heet; het dorp is door de hitte bevangen. Lieve Marise, ik besluit je even snel, of, beter gezegd, zomaar voor de aardigheid te schrijven. Want ik mis je, dat geef ik meteen moeiteloos toe – zonder iemand iets te willen verwijten, ook niet, dat al helemaal niet, om te klagen – ik schrijf, dat is alles, om wat met je te praten en me, zolang ik de brief aan het schrijven ben, dicht bij je te voelen (je zult mijn zinnen te lang vinden, die kronkelen 'als arabesken', zoals jij het noemde wanneer je uit toegeeflijkheid probeerde me een plezier te doen...); maar laat ik beginnen.

Lieve Marise,

Mijn liefde vermelden die nog steeds bestaat, die tot nieuw leven komt met de zee voor me die elke nacht het trage en aanhoudende geruis van haar golven laat horen, alsof ze onder mijn bed zou willen kruipen. Tegelijkertijd heb ik het gevoel hierheen te zijn gekomen om die twee decennia ballingschap van me af te zetten. Ik weet niet wat zich plotseling in mij verzet, nu ik dat plan heb opgevat om eindelijk te gaan schrijven aan...

Deze brief omdat ik je natuurlijk mis, maar ook omdat ik in mij een onverwachte onrust voel; ik hoop dat die onrust aan het eind van dit stille gesprek met jou verdwenen zal zijn, dat ik dan gewoon weer mezelf zal zijn, zonder overbodige vragen: noch over hoe ik mijn leven nu heb ingericht, noch over het verleden – niet zozeer het verleden dat ons heeft samengebracht en weer uiteen heeft doen gaan, maar de grauwe periode daarvoor, al die lange jaren die ik doelloos in Frankrijk doorbracht... Het waarom van die zo langdurige en pas zo laat beëindigde ballingschap laat me niet met rust – is het een vraag die me kwelt? Het betreft veeleer iets vaags, iets onbestemds van mij onbekende aard, waarvan ik hoop dat mijn op deze twee, drie bladzijden voor jou gehouden alleenspraak me er duidelijkheid over zal verschaffen, of tenminste een eind aan de onzekerheid zal maken.

Op deze heldere herfstdag – toen ik vanochtend langs het strand liep, vertoonde de hemel alle mogelijke tinten roze en paars – denk ik aan jou, Marise of Marlyse, wat doet het ertoe, nu ik het weer leuk vind je zo te noemen, bij de voornaam die je als toneelspeelster gebruikt, en die ik graag gebruikte op de intiemste momenten van onze liefde, je pseudoniem voor het publiek (Mar-Ly-se!) – wat uit mijn mond het 'lieveling' werd dat ik nooit spontaan over mijn lippen kan krijgen, in plaats daarvan smolten twee, drie Arabische woorden samen die ik als kind geleerd had, merkwaardigerwijs hadden ze op vriendschap, bijna op bloedverwantschap betrekking, die gekoppeld aan je toneelnaam mijn genegenheid uitdrukten...

Waarom zou ik hier onze omhelzingen ter sprake brengen, terwijl ik niet in staat ben je te schrijven in woorden die tot de taal van mijn stam behoren, uitspreken hoezeer ik je mis, evenals die momenten waarop mijn lippen, mijn handen naar je huid toe gingen, elk plekje van je lichaam beroerden?

De woorden die ons liefdesspel begeleidden, en hun verspreide klanken, je luisterde ernaar alsof het alleen maar muziek was. Weet je nog dat het me af en toe bedroefd maakte dat je, op het moment dat onze hartstochten in vuur geraakten, niet in staat was in mijn moedertaal tegen me te spreken! Alsof zelfs midden onder onze omhelzingen mijn kindertijd herleefde en mijn dialect, zonder dat ik het wilde opeens weer terug, je het liefst had verzwolgen.

Marise-Marlyse, ik zeg je dat mijn liefde juist nu je er niet bent en door deze definitieve terugkeer voortdurend groter wordt. Tegelijkertijd neemt door deze gewilde en toch heel moeilijk te verdragen afwezigheid mijn verlangen naar jou geweldig toe...

Soms wanneer ik 's avonds met dat onaangename gevoel of die frustratie in slaap val, ik kies niet, ik verklaar niet, maar toch schrik ik wakker uit een diepe, chaotische droom, een nare droom zonder dat het om beelden gaat, eerder om een onaangenaam gevoel in het lichaam, in de buik, meer in de onderbuik, dan word ik met een onhelder hoofd wakker, weet ik niet waar en soms ook niet wie ik ben. En die onpasselijkheid, die je bijna doet braken, ja, al twee keer werd ik op die merkwaardige manier, innerlijk ontregeld wakker, midden in de nacht en in totale eenzaamheid, zodat ik met de open ogen van een waanzinnige of iemand die hevig geschrokken is overeind schoot. De volgende minuut, vlak voor ik me de dingen weer bewust werd, leek eindeloos – zoals een dier op zijn stro wakker zou worden, een merrie in een stal of een dog aan het voeteneind van je bed, dreigend dichtbij – ik was vergeten dat ik teruggekeerd was, en vooral dat buiten de zee lag. Half wakker, in de greep van een enorme behoefte aan seks, zie ik hoe jouw ivoorwitte lichaam opdoemt, herinner ik me je naam weer: Marise-Marlyse, die dubbele voornaam brengt mijn zinnen langzaam weer tot rust, ik, een man die eronder gebukt gaat dat hij al zo lang kuisheid betracht, dan word ik me de dingen weer bewust, zoals dat ik naar mijn vaderland ben teruggekeerd, worden de touwen weer strak getrokken, zit ik weer gevangen...

Ik zet die nacht zonder seksuele bevrediging uit mijn gedachten, ik zeg je naam nog eens, met alle liefde die je van me kent, ik laat de herinnering aan jou bezit van me nemen, niet die aan je lichaam waar ik naar verlang, nee, aan jou – jou – jij die me op een avond geduldig uitlegde waarom je van me weg wilde: 'Voor jouw bestwil', zei je, 'en voor de mijne! Het is voor ons allebei beter. Ik ga van je weg omdat ik van je hou maar ook omdat ik mezelf respecteer!'

Waarom zou ik al jouw argumenten hier herhalen?

Ik beken je die twee, drie keer dat ik onaangenaam wakker werd, toen alles uiterst verward door elkaar liep: de schok die mijn terugkeer bij me teweegbracht en het verdriet jou alleen te hebben gelaten, het feit, zeker, dat ik al zes maanden geen vrouw meer heb aangeraakt en de vaststelling dat mijn eenzaamheid me bevalt, dat ik die zelf gekozen heb, maar dat wanneer er om middernacht een herfstonweersbui buiten mij op de zenuwen werkt, de kleine jongen weer tot leven komt die deze terugkeer naar het geboorteland angst inboezemt... Wat staat hem in dit land te wachten? Er klinkt een verre stem, die roept, die me uit mijn doen brengt, en wanneer ik je er al schrijvend op wijs, op die hinderlijke en onbekende stem, doe ik dat om het waarom van die 's nachts weer opkomende angst te doorgronden.

Vandaag is mijn brief een ochtendpraatje. Ik heb de zee-egelvisser die bij de rotsen aan het andere eind van het strand rondhangt vanmorgen na mijn wandeling niets te zeggen. Het is een dertiger; ik praat altijd in het plaatselijk dialect tegen hem, hetzelfde dat in mijn wijk in de Kashba gesproken wordt, wat op enige verbondenheid duidt, tot een soort wederzijdse vriendelijkheid leidt. We praten over gewone dingen; zijn ogen twinkelen schalks. Na enkele dagen en het samen roken van sigaretten onder aan mijn trap schijnt hij zich vereerd te voelen; sommige avonden lijkt hij van mij ontboezemingen te verwachten. Wat kan ik hem toevertrouwen om die afwachtende blik in zijn ogen te verdienen: 'Weet je, Rachid,' zou ik hem waarschijnlijk bekennen, 'ik heb in het land aan de overkant een jonge vrouw in de steek gelaten (of om het preciezer te zeggen: "ik ben door haar in de steek gelaten"), jonger dan ik, een beeldschone toneelspeelster... Sinds ik weg ben, schrijf ik haar!'

Rachid zou me, om voor een vervolg op dit eerste vertrouwen te zorgen, op luchtige toon en vol dubbele bodems antwoorden: 'Vrouwen... en meer dan ze schrijven doe je niet?'

Ik zou zijn ogen zien glinsteren, een glimlach zou rimpels op zijn wangen doen verschijnen, zou zijn gezicht verbreden, de uitdrukking van onbevangen nieuwsgierigheid zou veranderen in die van een hunkerende jongeman, maar hunkerend naar wat, want hij benijdt me noch om mijn huis, noch om het feit dat ik duidelijk niets doe (mijn auto zit vol deuken, ik draag net zo'n spijkerbroek als hij, wat heeft het voor zin naar de fransozen te gaan als het niet is om terug te keren met een blonde griet, of in ieder geval met een auto en goed in de kleren om hier de grote heer uit te hangen?). Ondanks alles blijft hij me gadeslaan: ik bof, ik heb lange tijd in noordelijke landen gewoond, ik breng vrachten herinneringen mee, herinneringen aan vrouwen, vrouwen van daarginds, en hij verzucht: 'Ach, vrouwen!'

Ik heb niet veel zin om met hem mijn hele verleden door te nemen. Ik hoor jouw stem, Marise, een stroom van talloze woorden die hier tussen de visser en mij vervluchtigen!

Rachid is op mijn terras komen zitten. Hij stelde voor wat schelpdieren voor me open te maken, 'met citroen, als je zoiets in je keuken hebt', voegde hij er, ongedwongen als hij praat, aan toe.

De dag ervoor, hij had mijn sobere avondmaal met me gedeeld, was ons gesprek uitgedraaid op een luisteren door mij naar het dorpsnieuws, bijvoorbeeld dat na 'de loodzware jaren' de angst in de naburige dorpen verdwenen was.

Nadat hij vertrokken was, heb ik me ijverig aan het schrijven gezet, alsof dat praten in het eigen land me iets deed kwijtraken. Een muziekje? Ik weet het niet: sinds mijn aankomst praat ik alleen maar dialect met hem, met daarbij het opwindende weer een soort verbale dans te pakken te hebben gekregen, met gebruikmaking van talloze vergeten gewaande woorden, weer tot leven gekomen beelden, een eigen spreektrant...

Die onderdompeling in klanken gaat door wanneer ik bij Hamid, de Kabylische kruidenier, ben (we hebben vastgesteld dat we allebei even sterk zijn in het dominospel).

Maar de verzuchting van Rachid: 'Ach, vrouwen!' was de druppel. Ik raakte in verwarring. Heimwee naar je stem, naar ons gepraat, naar onze nachtelijke gesprekken, naar je lichaam dat ik niet alleen met mijn handen liefkoosde, weet je nog, maar ook met mijn woorden, met mijn lippen en met weer andere woorden, telkens onderbroken, tussen onze kussen door – dat knusse gepraat, waarbij alles door elkaar liep, lieve woordjes, witte kiezelsteentjes in een beek, de jouwe die ik een voor een in me opnam, een liedje dat ons weer te binnen schoot, maar ook kinderwoorden, woorden van mijn moeder, je verstaat niets van dat Arabische gebabbel waarmee ik me tot je huid, tot je borsten, tot je geslachtsorgaan richt, ik verzin verkleinwoordjes voor je, zelfs in de moedertaal, je lacht, je buigt je naar me toe om ze te kunnen horen, ik fluister ze in je oor, ik laat ze langs je hals stromen, dan begrijp je dadelijk vanzelf wel wat ze betekenen, ik laat ze in je binnendringen, zonder ze te vertalen, Marise/Marlyse, ik ken dat hele idioom van woorden en aanrakingen waar alleen wij vertrouwd mee waren nog precies, mijn dialect ging samen met jouw Frans, ik blijf je verzoek, je vurige smeekbede tot hier horen: 'Nog eens, zeg het me nog eens', ik deed niet meer dan je beide aan elkaar geplakte voornamen herhalen, met hun twee rollende r's, ik moest erom lachen, de vermenging van onze adem bracht ons nog inniger samen, zo liefdevol kan ik alleen voor jou zijn, uitsluitend en alleen voor jou, ik beleef die ogenblikken nog eens, in dit dorp van vissers en tuiniers, met voor me het verlaten strand...

Toch ben jij er hier niet bij, ons gezamenlijke gepraat verstomt, zal ik, als je naar me toe komt, aan dat strand en in dit koele huis, in staat zijn je net als op het Gare du Nord opnieuw met woorden als bloemen voor me te winnen?

Waarom strijden elke nacht in mijn binnenste het verlangen naar jou en het genoegen de klanken van vroeger weer te beluisteren, mijn dialect zoals het was, dat geleidelijk zijn invloed uitbreidt, zodanig herleeft dat het je nachtelijke aanwezigheid naar de achtergrond dreigt te dringen, mij te laten berusten in je afwezigheid? Dreigt mijn liefde te verdwijnen, nu je zo ver bij me vandaan bent?

Ik spreek mijn verlangen – *el-ouehch* – naar jou uit, tegen jou en opdat je het zult lezen. Ik ben naar dit oord getrokken om er te blijven, om er te schrijven. Maar of ik ook in staat ben er te leven...?

Berkane

Trage omweg

I

De brief die ik Marise drie, vier dagen terug, ik weet het niet meer, schreef, heb ik niet dichtgeplakt, ik ben niet van plan hem te herlezen, hij blijft op mijn schrijftafel van wit hout liggen, naast het blok geel papier en de inktpot.

Ik ben bijna voortdurend buiten; met mijn Leica-fototoestel in mijn zak, een spijkerbroek aan, espadrilles aan mijn voeten en in een coltrui heb ik per auto een paar naburige dorpen op de heuvels bezocht; 's ochtends en 's avonds liep ik langs het lange strand. Af en toe deed ik een middagdutje: ik word echt een gepensioneerde! dacht ik die eerste oktoberdagen lui. Ben je daarvoor naar je vaderland teruggekeerd? Een stem in mijn binnenste, niet eens ironisch. In afwachting van iets; ik ben een wachtende.

Aangezien Rachid de visser niet altijd boven komt om me mijn dagelijkse portie vis te brengen – kortgeleden gemaakte afspraak: ik reken eens per week met hem af en 'tegen groothandelsprijs', belooft hij me met een lach, 'groothandelsprijs, maar dagvers, of dezelfde nacht gevangen!' schettert hij, trots om zowel mijn leverancier als mijn vriend te zijn. Soms gaat hij op de traptreden zitten, bij de poort die rechtstreeks uitkomt op het zand. Sommige dagen blijf ik hem een poos gezelschap houden.

Ik bedank hem. Ik bak de vis niet. Ik was de kleine ponen, een of twee wijtingen; niet de inktvissen waarvoor ik betaal, omdat ik geen zin heb ze schoon te maken: 'Je moet ze van hun inkt ontdoen! Ik heb genoeg aan de inkt op mijn schrijftafel, ik schenk ze je, die inktvissen!'

De andere vissen maak ik later op de ochtend klaar; ik voeg er wat kruiden aan toe, wat saffraan en laat ze verpakt in aluminiumfolie stoven. Met citroen en venkel (dankzij Rachid, die op alles blijft toezien), ik eet licht verteerbare kost.

Vervolgens de ene kop koffie na de andere. Als ik niet op pad ga, ben ik zo lui een middagdutje te doen, nog meer koffie te drinken, alsof ik eraan verslaafd ben. Een luilak ben ik geworden: een gepensioneerde en een luilak, allebei tegelijk, en mijn werkkamer baadt in het licht van de herfstzon... Welk werk?

Ik heb een paar foto's gemaakt. Niet in het wilde weg, op het gevoel. Alsof ik me wilde verzekeren van een verrassende oogst, een eigen resultaat. Om zo te zeggen: alsof ik me de ogen wilde uitwassen; me wankelend, stap voor stap, voorwaarts waagde, me er eindelijk van bewust dat ik echt terug was...!

Sommige ochtenden, bij een bepaalde lichtschakering die maar even duurt – het verlaten strand: dat ongeschonden en steeds veranderende rijk behoort alleen mij toe – bekom ik maar niet van mijn verbazing dat ik hier ben; terug. Echt waar? 'Ben ik er helemaal?' De stem die binnen in mij vragen stelt, zwalkt heen en weer tussen Franse woorden en woorden in de taal van mijn moeder – die nu voorgoed op haar kleine binnenplaats zit van het huis waar ik mijn kindertijd doorbracht, in de Blauwstraat, in de Kashba – ze klinkt onzeker, aarzelt tussen de ene en de andere taal, de ene en de andere oever: mijn moeder, binnen in mij, toont zich verbaasd, kijkt me vragend aan... Dat geluidloze spelletje neemt me helemaal in beslag, een, twee keer, steeds bij het krieken van de dag. Eigenlijk ervaar ik mijn eenzaamheid, in deze omgeving, met de 's ochtends vlakke maar glinsterende zee voor me, als een geschenk!

Zou dat nou zijn wat je vrede noemt? Tekenen zich in de verte, recht voor me, zoiets als de omtrekken van een nimf af, alleen voor mij afwisselend heel even zichtbaar?

Volgende week ga ik – zo heb ik besloten – naar de hoofdstad om bij Amar, een bevriende fotograaf, mijn eerste foto's van de Sahel te laten ontwikkelen.

Ik heb verscheidene opnamen van dat ochtendlijke tijdstip – zes uur, halfzeven – gemaakt, tegen het eind van de ochtendschemering: wat nevel boven het water, enig schuim op de golven. Vlakbij, op het strand, een geruis van water; achter me een rietbos of de punt van een pannendak, aan de zijkant van de opname...

Tijdens mijn tochten naar de dorpen in de omgeving heb ik een ingeslapen stadje herontdekt dat vroeger een pelgrimsoord was; toen ik er aankwam, na een bocht in een stoffig pad, ontwaarde ik een eenvoudige moskee, met zijn deels bouwvallige koepel: er ligt een *ouali* begraven, door iedereen vergeten, behalve door een paar oude kwezels uit de streek.

Deze *koebba*• heb ik, nadat de biddende vrouwen weer waren vertrokken, drie dagen achter elkaar onder eenzelfde hoek gefotografeerd: de grauwe hemel erachter, watergroen, alsof die halfronde koepel niet afstak tegen blauw maar veeleer was verzonken in onzichtbaar water of schuilging achter nevelige wolkenflarden.

Mijn idee was in Algiers een aantal foto's van de koepel met die weidse en heldere hemel te laten vergroten, er een serie van steeds fletsere afdrukken van te maken. Daarna zou ik een afdruk uitkiezen, die zo veel mogelijk vergroten en hem in mijn slaapkamer tegenover mijn bed aan de witgekalkte muur hangen.

Bepaalde ochtenden zou ik misschien niet eens meer opstaan: het kijken naar dat landschap, met via het open raam het nabije geluid van golven, daar zou ik genoeg aan hebben. Oude koepel, in zijn stille eenvoud bewaard gebleven, verloren als in een hemel boven zee... Ik zou helemaal in dat beeld opgaan; ten slotte zou ik in slaap vallen: in de illusie te ontsnappen, zou ik denken dat ik wegging! Terug zijn en toch eindelijk weggaan... Maar eerst moet ik het besluit nemen naar Algiers te gaan. Amar, de fotograaf,

---

• Grafmonument voor een *ouali*, een maraboet (kluizenaar in Noordwest-Afrika, die als een heilige en wonderdoener wordt vereerd).

heeft zijn fotozaak op het Martelarenplein dat ik in het Arabisch het Paardenplein blijf noemen, alsof tijdens de eerste dagen van de onafhankelijkheid, in de zomer van 1962, het ruiterstandbeeld van de prins van Orléans niet door een geestdriftige menigte omver was gehaald...

Oktober gaat voorbij, een maand met stralend weer. Elke ochtend word ik volstrekt zorgeloos wakker; ik ga nog steeds niet aan mijn werktafel zitten. Gisteren belde Marise me. Ik weet niet hoe zij wist dat ik hier telefoon had, waarschijnlijk heeft ze met mijn jongere broer gesproken.

Ik stelde geen vragen. Ik vertelde haar in het kort over mijn bezigheden als amateur-fotograaf.

'Morgen ga ik naar Algiers', zeg ik tegen haar. 'Ik ga er wat foto's maken van straten waar ik als kind in korte broek rondrende.'

'Wees voorzichtig!' luidt na een stilte haar reactie.

Ze wilde een vraag stellen. Ik begreep welke: 'Ben je veilig in die streek, in dat dorp? Heus?' Toch stelde ze hem niet.

Mijn stem van bedaarde en luie gepensioneerde stelde haar gerust. Ik gaf haar een nauwkeurige beschrijving van de hemel die ochtend. Ik had graag gewild dat ze me zei welke jurk ze droeg op het moment dat ze met me praatte. 'Kusje!' besloot ze, alsof ze me vanuit het dorp hiernaast belde.

Ik legde de hoorn neer. Ik zou het echt leuk gevonden hebben als ze hier onaangekondigd was binnengevallen... Ik verlangde naar haar, nu het telefoongesprek geëindigd was; de klank van haar stem, de plotseling heldere voorstelling van haar blote arm, van haar oksel, het beeld van haar hand die zojuist de hoorn weer heeft neergelegd, in haar slaapkamer, naast haar bed, daarginds... Vooral het ritme van haar spreken, de zangerige klank van haar stem, die ik opeens nog lijk te horen, hier vlak naast mijn bed, die me volgt.

Dezelfde dag droomde ik tijdens mijn middagdutje van haar.

Van Marise-Marlyse, de beide voornamen bogen zich achter mijn oogleden als een golf over me heen. Er maakte zich een heftig verlangen naar haar lichaam van me meester dat een hele poos aanhield, tussen de lakens die ik verkreukelde, in die kale kamer waarvan ik het raam open had gelaten.

Ik sprong uit bed en snelde naar de douche. Haastig trok ik mijn zwembroek aan en vloog de stenen trap af; ondanks de beginnende kou dook ik het water in. Na een paar slagen rende ik weer naar boven. Ik liet het water van de douche over me heen stromen. Zelfs zonder eerst een kop koffie te nemen, zette ik me aan het schrijven. Als een bezetene, alsof het donker was om me heen, en er niet die namiddagzon was...

Morgen ga ik heel vroeg naar de hoofdstad, of beter gezegd naar het oude centrum waarvan ik weet dat het helaas tot armoede is vervallen... *El Bahdja...*

2

De volgende nacht noemt Berkane, verteerd door het aanhoudende verlangen naar de stem, de blote arm, de openlijk getoonde neerhangende borsten en het slapende lichaam van de afwezige – noemt Berkane zijn geliefde niet langer Marise, of Marlyse, ook voegt hij de beide voornamen niet meer samen, maar duidt hij haar aan met 'de afwezige'. Hij ligt, voor hem bevindt zich het open raam dat, omdat het een maanloze nacht is, uitkijkt op een inktzwarte zee, en met de onrust van een man die lange tijd kuisheid heeft betracht met wachten, hunkert hij naar haar, naar haar, en niet naar welke bekende of onbekende vrouw dan ook. Ten slotte valt hij in een rusteloze slaap, denkt vervolgens wakker te worden in Parijs, tijdens een van de weekends in Hôtel de la Gare du Nord, even nadat de niet zo afwezige afwezige waarschijnlijk naar beneden is gegaan om het dienblad met het ontbijt, bestaande uit croissants en gloeiend hete koffie, op te halen. Hij zinkt weg in een somberder, eenzamer slaap...

Hij droomt minstens vijf minuten, één lange scène waar maar geen eind aan komt, waarna hij met kloppend hart van ontsteltenis wakker schrikt. Met open ogen, moeizaam bij zijn positieven komend, laat hij de droom nog eens aan zich voorbijtrekken, beeld na beeld: een greep uit het leven, lang geleden, eindeloos uitgerekt in de tijd. Het is vlak voor het aanbreken van de dag, roerloos laat hij zich meeslepen. Hij beleeft met een nogal vaag gevoel van afgrijzen opnieuw wat hij ooit als jongetje meemaakte. Hij is een jaar of vijf, zes. En hij kijkt ademloos naar het lichaam van een opgehangen man, dat hij van achteren ziet, en wiens benen, heel hoog in de lucht – in verhouding tot hem, een jongetje met een strakke blik – ja, wiens benen spartelen.

'De Fransman!' schreeuwt een stem naast hem.

'Het is de slager!'

Nog steeds daarboven maken de benen een, twee keer een vertwijfelde beweging, de opgehangen man leeft, of leeft voor een deel, of is stervende!

Even tevoren was het kind gestuit op een woedend schreeuwende, of vrolijke, menigte, hij weet het niet meer, hij volgt de mensenmassa naar de wijk waar hij woont, een van de onderwijzeressen had hen net daarvoor laten gaan: 'Ga gauw naar huis, niet treuzelen onderweg!' De menigte op straat scheen blij, opgewonden; in de verte, voor zich, hoort hij een marslied, en zelfs een langgerekt 'joejoe' van een vrouw, ergens op een terras. Berkane trippelt mee te midden van de volwassenen, hij volgt de mensenmassa, hij komt zelfs langs de schrijnwerkerij van meneer Kobtane, wiens zoon bij hem in de klas zit.

Plotseling klinkt er uit de voorste rijen geschreeuw op; er ontstaat gedrang. Hij ziet door een opening de Franse slager, een kleine dikkerd, die voor zijn winkel staat en met iets in zijn hand, een pistool zwaait... Er klinken twee knallen. 'Hij heeft geschoten! Hij heeft bedreigingen geschreeuwd!' roept iemand naast Berkane in het Arabisch. Paniek.

Voor hen opent zich een wijde kring. Het kind ziet een paar meter verderop, vlakbij, een man op de grond liggen die probeert op te staan: er zit bloed op zijn hand en zijn borst. Twee stevige mannen tillen de gewonde meteen op; anderen storten zich op de slager. Schel geschreeuw: '*Allah Akbar! Allah...*' Het kind denkt: in de moskee schreeuwen ze net zo!

Omhoogkijkend – want hij meent zich al die tijd niet verroerd te hebben – ziet hij het lichaam van de slager opnieuw, nu van achteren en in de lucht: een lange robuuste kerel, geholpen door een ander, heeft de man, die nog steeds de revolver in zijn hand houdt, zojuist aan de vleeshaak opgehangen. Hij ziet het schokkendste beeld uit de droom weer: korte benen, van achteren, die daar hoog boven de kleine, ontsteld kijkende Berkane in de lucht spartelen.

Er klinkt geschreeuw op dat luider wordt: 'Broeders, laten we het politiebureau aanvallen! Laten we ze hun wapens afpakken!'

Berkane wordt opzij geduwd en hij denkt: ik kijk niet, ik...

Hij heeft zich omgedraaid, de kleine Berkane; zijn afschuw is verdwenen. Hij baant zich in tegenovergestelde richting een weg door de menigte, rent in één ruk naar de Blauwstraat, het huis, de binnenplaats, zijn moeder, eindelijk!

Ze zit op de tegelvloer, hij valt in haar armen, tegen haar borst, hij maakt een op hikken lijkend geluid, hij, de benjamin van zijn moeder. Zij klemt hem in haar armen, troost hem, vraagt hem wat er gebeurd is.

Later kwam zijn grote broer thuis.

'Bij de aanval op het politiebureau, dat is afgebrand, zijn vijf van onze mensen gedood. Politiepatrouilles hebben de Kashba meteen omsingeld!'

'Iedereen is gek geworden!' roept een stem naast hem uit...

Alles wordt donker, de droom is afgelopen.

Een paar dagen later, maar nog steeds in de armen van zijn moeder Mma Halima, had het kind verteld over de 'lap met de drie kleuren groen, rood en wit!' waarmee de rijen mensen vooraan in de menigte hadden gezwaaid. Om die te zien heb ik me bij hun wanordelijke optocht aangesloten! denkt hij en hij begrijpt, nu hij orde in zijn verhaal wil aanbrengen, begrijpt dat de slager dreigende woorden had geroepen juist vanwege die lap.

'Zeg niet "een lap", het is een vlag!' merkte zijn moeder op.

En Berkane riep uit: 'Die vlag, dat is niet dezelfde die boven de schooldeur hangt!'

'De vlag die je hebt gezien, is de onze!' antwoordde zijn moeder met glinsterende ogen.

'O ja,' vroeg het kind verbaasd, 'hebben wij die? Ik zag hem voor het eerst! Maar waarom verstoppen we hem?'

'Omdat het moet, dat is alles!' antwoordde zijn moeder bits.

Daarna sprak ze weer vriendelijker; legde ze zelfs geduldig uit: 'Die andere, die ze boven de schooldeur hangen, dat is hun vlag!'

Daar leek geen speld tussen te krijgen: ieder zijn vlag, behalve dat 'wij de onze verstoppen, maar waarom?'

Dit gesprek zette zich in het hoofd van het kind vast, dat al het andere vergat: het voorval op straat, en zelfs de van achteren geziene, opgehangen slager, wiens benen in de leegte spartelden. Hij onthield slechts wat op de vlag betrekking had, de nieuwe 'met groen erin' die hij voor het eerst gezien had; 'de onze!' had Mma verduidelijkt, was anders dan die op school, 'de hunne'. Deze symmetrie, die het kind geruststelde, hielp hem de gewelddadigheid van de menigte, die dag dat de betoging plaatsvond, te vergeten.

Berkane stelt zijn tocht naar Algiers uit tot de volgende dag. Hij slentert over het strand, maakt zoals gewoonlijk een praatje met Rachid de visser; wisselt enkele gemeenplaatsen uit over het weer – Rachid is niet van zins komende nacht uit te varen: de radio heeft een ophanden zijnde storm aangekondigd...

'Dan zal ik het morgen zonder vis moeten doen! Ik was trouwens van plan naar Algiers te gaan!'

Rachid blijft hangen en Berkane nodigt hem spontaan voor het middageten uit.

Twee uur later zitten beide mannen op het balkon naast de keuken te praten. Op welk moment brengt Berkane die eerste nationalistische betoging ter sprake – hij noemt de dingen losjes bij de naam, hij merkt dat de droom van afgelopen nacht hem nog steeds achtervolgt, hij kan niet nalaten wanneer Rachid zich nieuwsgierig toont te verduidelijken: 'Dat was in '52!'

'In '52, toen al?' zegt de ander verbaasd.

'Ik was zes', gaat Berkane verder. 'Het was mijn tweede jaar op de Franse school. In die straat in de Kashba zag ik voor het eerst onze eigen vlag!'

Hij wil er geen politieke analyse van maken, de visser is immers nog vrij jong, in de dertig, hij gaat gewoon verder met het relaas van zijn kindertijd. Met het aandoenlijke en leuke dat je van die leeftijd hebt onthouden, geeft hij liever een aangename voorstelling van zaken dan het sentimentele verhaal op te hangen dat de mensen van zijn generatie gewoonlijk afsteken, telkens wanneer hun verleden aan de orde komt: 'In '52', merkt Berkane op, 'was jij waarschijnlijk nog niet eens geboren!'

'Ik ben geboren vijf jaar na de onafhankelijkheid', bevestigt Rachid. 'Voor mij was dat gedoe met de Algerijnse vlag en de demonstraties eromheen, in Algiers, van mannen, vrouwen en kinderen van alle leeftijden, die geestdriftig betoogden, naar ze me vertelden, in december 1960! Daarvoor was er alleen maar sprake van ondergronds verzet, is het niet zo?'

'In mijn herinnering', legt Berkane op onderwijzende toon uit, 'werden de eisen met betrekking tot onze wijk die dag, beslist in 1952, ver voor in 1954 onze oorlog begon, voor het eerst naar voren gebracht... Ik was een kind!'

Berkane wil geen afbreuk doen aan de eenvoudige bekoring van de 'oorspronkelijke scène', vermijdt zijn moeder ter sprake te brengen toen hij, van zijn stuk gebracht door de gewelddadige taferelen op straat, een toevlucht had gezocht in haar armen. Er dringt zich de herinnering aan hem op van een gebeurtenis die een paar dagen later plaatsvond: een duidelijke en heldere 'eerste herinnering aan school'.

'Eigenlijk', vervolgt hij, bijna om zich te verontschuldigen – ze waren het gesprek deze keer in het Frans begonnen, een gewoon, zo'n beetje door iedereen gebruikt Frans; om de visser, die zich het meest thuisvoelt bij zijn dialect, niet af te schrikken, gaat Berkane weer over op het Arabisch dat door de mannen in de straten van de vroegere Kashba gesproken werd: de nuances, de subtiliteiten, de af en toe volle klanken zijn hem meteen weer vertrouwd – 'heeft iedereen wel zo'n herinnering aan school... Nou goed, de mijne' (hij lacht een beetje, schudt de nachtelijke droom van zich af) 'betreft een klinkende draai om mijn oren van de Franse onderwijzer!'

Rachid spert zijn ogen wijd open, wordt een geboeide luisteraar, alsof hij voelt dat hij iets 'wonderbaarlijks' uit een andere tijd gaat horen – de koloniale periode ligt voor hem al zo ver weg, bijna twintig jaar terug.

'Ik herinner me', begint Berkane, 'dat die dag, in de klas, ik hoor het alsof het nu was, de onderwijzer ons de opdracht gaf: "Maak allemaal een tekening: laten we zeggen, een schip op zee, een tekening in kleur, met een vlag boven in de mast!"

Mijn buurman aan de tafel waaraan ik werkte was een kleine Spanjaard wiens moeder, een fruitverkoopster op de markt in de wijk de Liervogel, hem af en toe kwam afhalen, en wij, Arabieren, dreven de spot met die gewoonte. Mijn Europese buurman begint dus te tekenen, ik, minder begaafd dan hij, kijk wat hij doet, gebruik dezelfde kleuren als hij: blauw voor de zee, zwart om de mast aan te geven, daarna moeten de golven en de hemel een kleur krijgen. Maar de meester had het ook over "een vlag".

Mijn buurman is zijn vlag al aan het kleuren: "blauw, wit,

rood"; zodra hij klaar is, leen ik zijn potloden: we kunnen het goed met elkaar vinden, hij en ik. Behalve dat ik meteen denk: Blauw heb ik niet nodig! Voor hen is het blauw, en voor ons is het groen!

Ik pak zonder omhaal het groene kleurpotlood dat mijn buurman niet gebruikt uit zijn doos, ik haast me, ik ben tevreden over mijn tekening, ik gebruik groen voor mijn vlag waarvoor ik, net als Marcel, al eerder rood en wit gebruikt heb, maar ik zeg nog eens bij mezelf: Voor ons is het groen! Ik ben bijna klaar: ik ben trots op mezelf, ook al ben ik niet even goed in tekenen als mijn buurman.

De meester achter ons, ik denk dat hij gewoon zal doorlopen, rij na rij, maar hij blijft roerloos achter ons beiden staan. Ik ben klaar. Ik voel me opnieuw trots: ik heb flink doorgewerkt, vol ijver getekend.

Opeens zegt de meester verbaasd: "Dat, wat is dat?"

O, hij heeft het tegen mij! Ik zeg ongedwongen, zij het wat aarzelend: "Dat is mijn schip, meneer!"

Hij vervolgt luider, driftig, met zijn vinger op mijn schip gedrukt: "Maar dat... dat... wat is dat?"

Onder zijn dikke vinger, boven aan de mast van het schip, zou mijn vlag bijna in staat zijn te gaan wapperen.

"Dat is mijn vlag, meneer!"

"En bij Marcel, wat is dat dan?"

Stilte in de klas. Ik begrijp het nog steeds niet, toch antwoord ik: "Bij hem is het zijn vlag, meneer!"

Plotseling pakt de meester me bij mijn oor, trekt me half omhoog en schreeuwt, brult: "Bij Marcel zie ik wel dat het onze driekleur is, maar bij jou, wat is het daar, smerige..."

Hij laat me opstaan, nog steeds mijn oorlel vasthoudend, mijn stoel valt achter me om, de kinderen kijken zwijgend mijn kant op. Ik begrijp er nog steeds niets van, wat is er met de meester aan de hand? Toch lukt het me, opeens koppig – dat weet ik nog precies – te zeggen: "Bij hem is het zijn vlag... en bij mij is het mijn vlag!"

Ik herinner me natuurlijk wat mijn moeder zei. Maar ik ben nu eenmaal een Arabisch kind, dat brengt buitenshuis zijn moeder niet ter sprake, en al helemaal niet in de klas, in "hun" bijzijn!

De meester schijnt steeds woedender te worden. Hij scheldt me uit, schreeuwt nog eens zo hard, hij heeft nog steeds mijn oor vast, trekt me mee, in één keer door naar het schoolhoofd: "Deugniet! Wie heeft je dat laten zien?"

Mijn tekening houdt hij in zijn andere hand... Daar zijn we bij het schoolhoofd. De meester toont hem mijn tekening, het voorwerp van het misdrijf. Ik ben de aangeklaagde. Het schoolhoofd, beheerster: "Wie heeft je dat laten zien, kleintje?"

Ik zeg nog eens: "Marcel heeft zijn vlag getekend, ik heb de mijne getekend!"

Deze keer doet een klinkende draai om mijn oren van het schoolhoofd me duizelen en deze besluit, niet schreeuwend, maar juist ijzig kalm: "Je zet geen voet meer in school tot je je vader hebt meegebracht!"

Dat is een ramp voor mij. Mijn vader zal zijn koffiehuis moeten sluiten; daaraan voorafgaand zal hij me, dat kan niet anders, met zijn riem slaan en tegen me zeggen: "Je hebt vast een stommiteit uitgehaald." Want ik heb pech: in mijn hele wijk ben ik het enige Arabische kind dat een vader heeft voor wie de Franse school heilig is!'

3

De dagen die ik in Parijs met Marise doorbracht, had ik het vaak over mijn moeder; nooit over mijn vader, alsof het moeilijk voor me was hem, in gedachten, naar Frankrijk te halen – hij kende Frankrijk al voor ik ernaartoe ging – hij had er als Frans soldaat aan de Tweede Wereldoorlog deelgenomen.

Ik constateer dit wanneer ik 's avonds mijn andere kameraad in het dorp ga opzoeken, de kruidenier met wie ik domino speel. Ik loop via het pad vanaf het strand tot de plek waar een rotspartij ligt; ik bestijg enkele treden te midden van een groep vijgcactussen. Onverwachts kom je uit op een hooggelegen pleintje dat voor mensen op het strand niet zichtbaar is.

Het is een van de bedrijvigste plekken in het dorp: verscheidene winkeltjes; kippenverkopers; een barbier; een oud moors koffiehuis, ontmoetingsplaats voor enkele dorpsbewoners met traditioneel hoofddeksel en pofbroek. Geen zomergast te zien hier: in ieder geval nooit buiten het seizoen!

Mijn vriend Hamid drijft er op een overdekte binnenplaats de best gesorteerde kruidenierswinkel van het dorp. Binnen vloeit zijn winkel over van de rijkdommen: aan de ene kant gewone kruidenierswaren; achterin een drogisterij, plus een hoekje met dag- en weekbladen, zowel in het Arabisch als in het Frans.

Ik raakte met Hamid bevriend omdat ik bij hem mijn kranten kocht. Eerst was hij zo vriendelijk voor te stellen de kranten die ik dagelijks las voor me opzij te leggen. Nadat hij had vastgesteld dat ik altijd pas laat kwam, bood hij me vervolgens steeds muntthee aan.

Ik begon naar zijn spelletjes domino te kijken, waarbij hij achtereenvolgens van al zijn medespelers won. Ik kon me er niet van weerhouden enkele opmerkingen over zijn spel te maken. Waarop hij als kenner voorstelde het eens tegen elkaar, hij tegen mij, op te nemen.

Op het platteland, dacht ik toen, voelen mensen de kleinste dingen meteen aan! In mezelf voegde ik eraan toe: met geheimen ligt dat heel anders!

Terwijl ik op weg ben naar Hamid, de dominospeler, worden mijn gedachten geheel beheerst door mijn vader. Vanwege de herinnering aan meneer Gonzalès, het schoolhoofd dat zijn oordeel had geveld: ik moest mijn vader meebrengen, anders was het schoolgaan afgelopen, een omstandigheid die ik opeens, al was ik pas zes jaar, toch als mogelijkheid overwoog: en als ik nou eens niets tegen mijn vader zei? Als ik nou eens alleen maar deed of ik elke ochtend naar school ging wanneer ik netjes gekleed het huis verliet, waarna ik aansluiting zou zoeken bij een paar oudere straatjongens die het geluk hadden niet naar school te hoeven? Zij zouden me laten zien waar ik mijn tijd kon doorbrengen, waar ik me kon verstoppen, tot het middaguur en vervolgens opnieuw na de middagmaaltijd die mijn moeder altijd met zorg voor me klaarmaakte, weer terug, ik weet niet waarheen, naar de kaden in de haven, waarom niet, of naar de wijk die aan de onze grensde, die waar mijn oudste broer me verboden had heen te gaan: 'Het is heel eenvoudig,' had hij me een keer op het hart gedrukt, 'in de Deltastraat en de Sophonisbestraat zul je, duidelijk zichtbaar, bordjes op sommige huisdeuren aantreffen en omdat je Frans kunt lezen, mag je daar waar je leest "hier, net huis", nou, dat is simpel, daar mag je niet binnengaan!'

Met mijn al spitse manier van redeneren, bracht ik ertegenin: 'Maar als het "net" is, kun je er toch juist wel gerust binnengaan!'

'Nee, beslist niet! Is het soms nodig dat je vader, en buren in onze wijk, zo'n bordje in het Frans op de deur zetten? Denk er trouwens aan, wanneer ergens iets in het Frans op staat, moet je het bijna altijd als precies het tegenovergestelde lezen! Snap je, kwajongen!'

En ik weer, die een hekel had aan de manier waarop mijn broer tegen me sprak: 'Waarom zou een bordje waarop "net" staat nou niet juist aangeven dat het er ook net is?'

Omdat het was alsof Ali, die Alaoua genoemd werd, mijn vreselijke oudste broer (hij was minstens veertien, iedereen in onze straat, groot en klein, was bang voor hem – en dat, dacht ik, is dat soms als *net* bekendstaan?), mijn gedachten kon lezen, gaf mijn broer me een klinkende klap: 'Je hoort je oudste broer te geloven! Want ik ben degene die het weet!' (Daarna glimlachte hij, alsof hij het betreurde me te vroeg een draai om mijn oren te hebben gegeven.) 'Ik zeg het je nog eens, je mag niet naar die wijk vol straatjongens, onder geen enkele voorwaarde: aangezien er op sommige deuren, niet op alle, op enkele maar een bordje zit met – in het Frans – "Net huis, hier!", wil dat zeggen dat precies ernaast een huis staat dat niet net is! Gesnapt? Straatjongens, zeg ik je, het is een wijk voor straatjongens. Als ik je er ooit zie...'

Hij hief zijn hand op, algauw maakte hij, het rotjong, er een gewoonte van en sloeg hij me aan de lopende band... Maar ik, die voor mijn zes jaar al heel goed kon redeneren, ik dacht terwijl ik hem de rug toekeerde – ik herinner me trouwens dat ik hem in die tijd haatte, mijn broer: als hij zegt dat hij me er zou kunnen tegenkomen, in die wijk, waar nette/niet nette huizen staan, nou, dan wil dat zeggen dat hij er zelf naartoe gaat, en al heel wat langer dan ik, is het niet zo?

Maar ik dwaal af, weid te veel uit over die vroege kindertijd! Alaoua gaat pal voor me staan: zijn logge gestalte, zijn boksersgezicht, zijn door iedereen gevreesde kracht. Het klopt dat ik lang een grote hekel aan hem heb gehad, aan die oudste broer, die me sloeg, die bij de afranselingen die ik kreeg vaak de plaats van mijn vader innam, hij die de riem niet alleen met kracht maar ook, zo merkte ik, bijna met wellust hanteerde: ik, ik beet mijn tanden op elkaar om de pijn te verdragen. Ik jammerde nooit en hij voegde altijd nog iets toe aan wat mijn vader met weinig woorden als straf vaststelde voor de streken die ik uithaalde. Ik weet zeker dat het Alaoua speet niet de zoon te zijn van de buurman (van de overkant), die van wie alle zonen om de andere dag 'bij voorbaat' een pak rammel kregen, zo had hun vader besloten, omdat het vier jongens op een rij waren en wij hen allen echte donderstenen vonden!

Terwijl mijn oudste broer af en toe als mijn beul optrad (ik weet zeker dat de politieke en militaire activiteiten die hij later ontplooide een folteraar van hem hadden kunnen maken!), stonden mijn moeder, Halima, en de moeder van mijn moeder – die vrijwel blind was, maar elke klap van de riem op mijn dijen of op mijn voetzolen hoorde – samen bevend achter de deur te wachten om me vervolgens in hun armen te sluiten, in dekens te wikkelen, met eau de cologne te besprenkelen en vooral met kussen te overladen – mijn blinde grootmoeder betastte met haar handen mijn ledematen, mijn voeten, liefkoosde me...

Toch is het mijn pa, met zijn brede schouders, zijn norse gezicht en zijn zwijgen, is hij het, Si Saïd, de koffiehuishouder, en *Hadj* bovendien, die door allen in onze wijk gerespecteerd werd – is hij het die ik vanavond mis: ik had niet verwacht – hooguit een week geleden in dit dorp aangekomen – door de schim van mijn vader achtervolgd te worden!

Mijn moeder, Mma Halima, toegegeven, zij was al de tijd in Frankrijk in mijn gedachten bij me; toegegeven, de dag waarop ze stierf was een zwarte dag: ze was erg verzwakt, ik voelde dat ze niet meer beter zou worden, ik had de gewoonte aangenomen haar elke zondag te bellen en af en toe, als verrassing, ook op vrijdag, na haar *dhor*-gebed, rekening houdend met het tijdsverschil, om haar niet te storen bij de daaropvolgende meditatie.

Ik hoor haar vermoeide stem nog vragen: 'Vertel me, jongen, hoe was je week?' Soms voegde ze er als een klaagzang aan toe: 'En nog steeds geen echtgenote, dus geen kinderen, lieve jongen, is dat normaal?' vervolgens verontschuldigde ze zich, verlegen, verontschuldigde ze zich dat ze zo indiscreet was geweest; ze voelde waarschijnlijk dat het niet zozeer door mijn werk kwam dat ik niet terugkeerde, maar dat er in Frankrijk vermoedelijk een vrouw in het spel was.

Ze zou gezegd hebben: 'Wat onze zonen daarginds betreft moeten we dat begrijpen en aanvaarden, het kan niet anders, Frankrijk, dat is natuurlijk een vrouw-in-Frankrijk! Frankrijk,' zou ze nog eens met een matte glimlach benadrukken, 'dat is uiteraard een Franse vrouw' – en ze zou zuchten: 'althans daar gaat het bij mijn zoon om, ik voel het in mijn binnenste!'

Een van mijn zussen had me tijdens een van haar bezoeken bekend dat ze zich bezorgd maakte, Mma Halima, over haar toekomstige schoondochter: 'Het geeft niet uit welk land ze komt, het geeft niet welk geloof ze heeft, het kan me niet schelen, God is één voor alle Schepselen, ik zou alleen graag heengaan met de wetenschap dat mijn Berkane een heuse echtgenote aan zijn zijde heeft!'

Diezelfde dag, 's avonds, terwijl Rachid, die niet was uitgevaren, zijn netten herstelde (hij had van mijn broers de hut geleend, beneden, die uitkeek op het strand: hij liet er zijn netten drogen, maar 's zomers werd de hut door de gemeente gevorderd, die er in het vakantieseizoen twee badmeesters in zette om op de badgasten te letten, in het bijzonder op de heel kleine kinderen van enkele gezinnen die zich daar voor een hele dag installeerden...), liep ik in het maanlicht naar buiten en ging naar hem toe: Rachid bekent me dat hij opnieuw aan de betoging in '52 in de Kashba heeft moeten denken. In zijn woorden klinkt onverwachts eerbied door: 'Is je vader uiteindelijk naar het schoolhoofd toe gegaan?' begint de visser.

'Dat moest wel!' zei ik. 'Toen ik uit school kwam en mijn moeder vertelde – die het weer aan mijn vader doorgaf – dat meneer Gonzalès hem wilde spreken, bedreigde mijn vader me dit keer niet met de gebruikelijke straffen; hij scheen bezorgd. 's Avonds vroeg hij nog eens: "Weet je het zeker, jongen? Het schoolhoofd zelf wil me dus spreken?" – "Hij zei tegen me: Anders mag je niet terugkomen!"'

Dat zou voor mijn vader het ergste geweest zijn: aangezien zijn moorse koffiehuis goed liep, zag hij zich al, hij, de analfabete Chaoui (wat het Frans, niet wat het Arabisch betreft), uit het binnenland hiernaartoe gekomen, die wat de papieren rompslomp, de belastingen aanging afhankelijk was van zijn boekhouder en enkele personeelsleden die beter Frans spraken dan hij: hij wachtte ongeduldig op mijn broer en mij die ervoor konden zorgen dat hij spoedig zelfstandig zou worden. Als harde werker en met zijn naam als man van zijn woord zag hij, denk ik, een prachtige toekomst als zakenman voor zich: en dat dankzij de kennis van zijn zonen.

'Is hij inderdaad zakenman geworden?' vroeg Rachid glimlachend.

'Nee, want de bevrijdingsoorlog brak uit en zodra de strijd om Algiers begon, die in onze Kashba ontbrandde, werd hij gearresteerd, gemarteld, gevangengezet: toen hij een paar maanden voor de onafhankelijkheid uit het kamp kwam, was zijn koffiehuis al die tijd gesloten geweest, hij was geruïneerd! Maar', zei ik, opeens aangedaan door de 'Ouwe' die ik deed herleven, 'dat is een heel ander verhaal!'

'En hij bezocht je schoolhoofd om hem te spreken?' ging Rachid vasthoudend verder.

'Ja, de hele avond voelde ik dat hij bezorgd was. Mijn grote broer merkte ironisch over me op: "Hij kan immers niet stilzitten, het joch! Als je wilt, pa..." En hij maakte zich al op, de beste Alaoua, om me bij voorbaat een afstraffing te geven! Mijn moeder hield dit door de mannen gehouden familieberaad met haar kattenogen in de gaten. Van ons allen is zij de enige die heel behoorlijk Frans kan lezen en spreken – haar oom van vaderskant had haar van school gehaald toen ze zo'n tien, elf was. Het schijnt dat haar onderwijzeres wel twee keer bij mijn grootmoeder kwam smeken haar dochtertje de lessen te laten volgen tot ze tenminste haar getuigschrift had: de oom had, namens zijn vroegtijdig overleden broer, gezworen: "Zolang ik leef, zal er nooit en te nimmer een meisje ons huis verlaten zonder sluier! Haar toekomst is wachten tot ze kan trouwen!"

Ze kon die dag dus niets voor me doen. Toch voelde mijn vader dat het bij dat verzoek van het schoolhoofd om een ernstige zaak ging. De volgende dag sloot hij zijn koffiehuis; hij ging heel vroeg naar een oom die kapper was. Hij kwam terug om zijn nette kleren aan te trekken: een Turkse pofbroek, een met gouddraad bestikt zijden vest, zijn met een tulband van wit linnen omwikkelde rode fez op het hoofd, die hem een indrukwekkend aanzien gaf, zijn netjes gekamde baard en snor. Met zijn schoenen voor de feestdagen aan gaf hij me een hand en zei heel vriendelijk, maar nog steeds bezorgd: "Kom jongen, laten we naar de Sudanstraat gaan om je schoolhoofd te spreken!"

Om halfelf staan we dan allebei voor de hoofdingang van de school. We worden begroet op het schoolplein, waar het voor de leerlingen speelkwartier is; we worden naar meneer Gonzalès gebracht. De jongens van mijn klas komen even in een kring om ons beiden heen staan: Si Saïd, mijn vader, denk ik heel trots, hij lijkt net een Turkse edelman, of een *kaïd* of een *aga*: wat zal hij een indruk op hen maken!

Ik herinner me hoe het schoolhoofd ons ontving. Hij trad mijn vader ernstig en vastberaden tegemoet. Mijn vader groette als eerste, zwijgend. De eerste zin van meneer Gonzalès is diep in mijn geheugen gegrift blijven staan: "Luister, jij vertaalt voor je vader wat ik ga zeggen." En terwijl hij de stijve gestalte van mijn vader van hoofd tot voeten met een koele blik opnam, voegde hij eraan toe: "Met die vreemde kledij" (dat kwetste me, het was de eerste keer dat ik die woorden hoorde, maar ik leidde uit de toon van het schoolhoofd af dat ze op minachting duidden) "neem ik aan dat hij geen Frans spreekt en verstaat!"

Mijn vader, die de woorden "vreemde kledij" evenmin begreep (misschien dacht hij zelfs dat ze een eerbetoon aan zijn verzorgde kleding inhielden), mijn vader dus stak met een mengelmoes van Frans en Arabisch en een uitspraak die nergens op leek – zijn Frans was niet om aan te horen – meteen van wal!'

Berkane moest even lachen: 'Ik zal hier kort voor je samenvatten wat mijn vader zei; ik herinner me zijn waardige houding, zijn vastberaden toon die het schoolhoofd ten slotte opmerkte: "Als het kind een domme streek heeft uitgehaald", begon hij.

"Inderdaad," onderbrak het schoolhoofd hem meteen, "en het gaat om iets ernstigs! Een belediging."'

Berkane aarzelt, voegt er dromerig aan toe: 'Ik geloof dat hij met zijn vinger naar me wijzend zei: "Hij heeft de Republiek, het moederland, Frankrijk beledigd!"

Bij het woord "Frankrijk" schrok mijn vader op; hij deed een stap naar het bureau van het schoolhoofd: "Als hij Frankrijk beledigd heeft," zei hij in zijn gebrekkige Frans, "pak die jongen dan, meneer het schoolhoofd, en doe met hem wat je wilt..." Hij aarzelt, herstelt zijn "je": "U, u bent meer dan zijn vader!"

Het schoolhoofd verbaast zich enigszins over de dramatische toon van mijn vader. Hij haalt een vel papier uit zijn la: mijn tekening waar het allemaal om draait. Hij laat hem aan mijn vader zien en zegt erbij: "Ik zeg het u in klare taal, gelukkig maar dat u gekomen bent, ik was al van plan dit document aan de politie te overhandigen!"

Bij het woord "politie" slaat me echt de schrik om het hart. Mijn vader reageert niet: hij geeft geen kik. Hij werpt een snelle blik op de tekening: net lang genoeg om tot zich te laten doordringen dat ik weet hoe onze vlag eruitziet. Ook herinner ik me dan de vraag die ik mijn moeder gesteld had: "Onze vlag, maar waarom verstoppen we hem?"

Maar dan komt Si Saïd, mijn vader, in actie, voert daar, in de werkkamer van het schoolhoofd, een waar theaterstuk op, en dat ondanks zijn Frans dat niet om aan te horen is.

"Er staat een oud-strijder van het Franse leger voor u!" (Si Saïd maakt een wat onbestemde beweging met zijn hand naar zijn voorhoofd, alsof hij Frankrijk de militaire groet brengt.) "Ja," vervolgt hij, "ik heb vijf jaar in de Leclerc-divisie gediend: want, meneer het schoolhoofd, ik heb deelgenomen aan de bevrijding van Parijs, aan de bevrijding van Straatsburg!"

Hij gaat door met het opsommen van zijn wapenfeiten "voor Frankrijk". Ik zag duidelijk dat het schoolhoofd opeens achting voor Si Saïd toonde, want hij, hoorden we later, had zich gedrukt: hij had zich namelijk laten afkeuren.

Waarop mijn vader, alsof zijn eigen heuse wapenfeiten nog niet genoeg waren, benadrukt: "Mijn zoon zal beslist een goede Franse soldaat worden!"

En hij geeft me daar, in die werkkamer, zo'n harde draai om mijn oren dat die van de onderwijzer en het schoolhoofd me als niet meer dan aaien voorkwamen. Het leek wel of meneer Gonzalès ervan schrok: "Hou op! Zo sla je een kind niet! Houd uw zoon liever beter in de gaten, en vooral met welke mensen hij omgaat!"

Ten slotte stelt hij mijn vader gerust: "Ik vergeef hem deze keer, ik beschouw de zaak als afgedaan, maar nogmaals, houd hem voortaan uit de buurt van de straatjongens in de wijk!"

Ik mag naar mijn kameraden op het schoolplein toe. Mijn vader loopt met de statigheid van de Arabische leider die hij lijkt te zijn door de groepjes kinderen. Wanneer ik 's avonds thuiskom, zit hij tot mijn verrassing zonder boosheid op me te wachten; ik mag als ik wil bij hem op schoot komen zitten. Hij kijkt me vriendelijk, heel vriendelijk aan!

"Lieve jongen", zegt hij, alleen met me in de kamer, tegen me. "Pas van nu af aan op! Je bent een ware zoon van me, want je weet hoe onze vlag eruitziet... Maar wees geduldig. Het moment waarop hij hier vóór ons zal wapperen komt vast."

Nooit zal ik mijn strenge vader meer met een zo ongewoon vriendelijke stem tegen me horen praten. Ik ben ontroerd: ik begrijp er niets van, maar de manier waarop mijn vader me die dag aankeek zal ik nooit vergeten!'

Er volgde een stilte. In het toenemende nachtelijke donker stelt Rachid, uitkijkend over het strand, de vraag: 'O Si Berkane, leeft je vader nog?'

'Hij heeft de onafhankelijkheid nog meegemaakt. Moe, op, heeft hij nog drie jaar geleefd. Hij heeft zijn koffiehuis niet heropend. Hij scheen er vrede mee te hebben; praten deed hij als gewoonlijk weinig. Hij wilde voor geen geld uit de Kashba weg!'

Berkane laat zijn gedachten nog een eind verder gaan. Hij voegt eraan toe: 'Pas toen hij gestorven was, gingen mijn moeder en mijn broers in El Biar wonen! Ik ging, meteen nadat ik met vertraging afgestudeerd was, het land uit!'

Na een lange stilte – je hoorde zelfs het kabbelen van de nabije golven niet – oppert de visser: 'Ik neem aan dat je morgen, in Algiers, op het kerkhof El Kettar, het graf van je vader gaat bezoeken?'

'Nog niet!' antwoordt Berkane kort.

Na een pauze voegt hij eraan toe: 'Ik voel dat ik er nog niet klaar voor ben!'

De Kashba

I

Na de fotograaf gebeld te hebben, rijdt Berkane bij het aanbreken van de dag weg: 'Ik ga om negen uur open! De afdrukken waar je om vraagt, zijn morgen klaar!' heeft zijn vriend beloofd.

Over de weg naar Algiers rijdend, neemt Berkane zich voor 's nachts bij zijn jongste broer te blijven slapen. Het belangrijkste na bij Amar, de fotograaf, te zijn geweest is terug te keren naar de wijk waar hij zijn kindertijd heeft doorgebracht: dan zal hij eindelijk echt teruggekeerd zijn.

Zullen twintig jaar ballingschap hem opeens als onwerkelijk voorkomen, als een donkere stroom die achter hem verdwijnt, en zullen de achtergelaten vroegere plekken weer vertrouwd worden?

Een wirwar van straten (zoals in *Pépé le Moko*, zei Marise glimlachend, al was ze er nooit geweest), straks zal hij het in het halfdonker van dat oude Algiers allemaal terugzien: *Djazirat el Bahdja* – mooi, roemrijk, heel lang onneembaar, zijn stad, 'dennenappelvormig', 'mijn legendarisch zeeroversnest', stukjes geschiedenis die vanochtend onderweg door zijn hoofd malen.

De Kashba zal hem haar steegjes bieden, haar kronkelende straatjes, trapsgewijs oplopend en donker – donker maar zonder geheimzinnigheid, denkt hij geroerd, want ik kom niet als vreemdeling en ook niet als late toerist, gewoon als *ould el houma*, ja, ik, kind van hier wiens geheugen plotseling in gebreke blijft. En terwijl hij oostwaarts rijdt, komt in zijn binnenste een gevoel van onbehagen op en schieten als biljartballen de wisselende namen van straten voorbij: oude Franse namen (Katstraat, Adelaarstraat, Kraanvogelstraat, Zwaanstraat, Condorstraat, Beerstraat), en namen die hij zich onmiddellijk in het Arabisch herinnert (Palmstraat, Fontein van de dorststraat, Looiersstraat, Beenhouwersstraat, Granaatappelstraat, Prinsessenstraat, en die met het Verwoeste Huis...).

De Kashba van Berkane wemelde van de benamingen, evenzeer als van de werklozen, verslaafden, onderwereldfiguren, havenarbeiders en bedelaars, ja, alles was in beweging, zorgde voor drukte, krioelde door elkaar en die veelheid – tegelijkertijd toenemend en afnemend – van allerlei mensen bevolkte onafgebroken zijn nachten aan het andere eind van de wereld, van hem die zijn vaderland verlaten had en zich nog niet terug zag keren. Enige tussenstops tijdens dat eindeloos weg zijn, de avonden in het weekend, in Hôtel de la Gare du Nord – wanneer in de armen van zijn geliefde, onder het praten over de stad waaruit hij was weggegaan, de verre plekken meteen verdwenen om de woorden plaats te laten maken voor liefkozingen en, tegen het eind, zingenot.

Voorbijgangsters in sluiers van witte zijde en satijn, wier door zwarte kohl omcirkelde ogen je van boven het stijve gezichtssluiertje op de neusrug aanstaarden. Zullen ze zich aan hem vertonen, de vanwege die nadrukkelijke blik maar al te zichtbare onzichtbaren? (Berkane nadert de buitenwijken van de hoofdstad.) Sommige onbekende vrouwen trokken vroeger wanneer ze langsliepen de slip van hun sluier opzij om het jongetje dat hij toen was een blik te gunnen op hun welgevormde been, of hun enkel boven de elegante sandaal! Het kind van vijf, zes jaar wist wat dat voor 'vrouwen' waren, die zich zelden op straat vertonen maar altijd haast hebben; geparfumeerde vrouwen, met een slinger van verse jasmijnbloesems om hun nek en lachende ogen, duwen hem opzij, hun dunne gewaad is op de borst diep uitgesneden of sluit nauw om hun heupen. Hij en andere jongetjes bespiedden hun oudere broers, de bezoekers van de moorse koffiehuizen of mengden zich tussen de niets om handen hebbende dieven en souteneurs, die allen in gluurders veranderden zodra er, zich snel uit de voeten makend, een vrouw of zelfs een jong meisje langsliep...

Als kind vond hij het heel vaak heerlijk om op te gaan in die massa logge mannen, dat geheel van geuren van fruit en geroosterd vlees, van luide stemmen en klaagliederen uit radio's, van eentonig klinkende Egyptische klaagliederen met eindeloze, hartverscheurend droevige uithalen op zich te laten inwerken; in ballingschap meende hij vervolgens zo vaak dat deze microkosmos uit een voorbije tijd altijd zijn karakter zou behouden, maar welke waren de plekken die ongeschonden zouden blijven?

Op de overvolle binnenplaats waar zijn moeder de was doet en zijn zuster naaiwerk verricht, wordt niet over andere vrouwen gesproken, of het nu gesluierde zijn of nagenoeg ongesluierde, zij die stoutmoedig als door een tunnel van stilte vrij over straat lopen...

Straten vol verlangen, waar mannen opgewonden raken, evenals de jongetjes en de grijsaards: mannen die, met ongeïnteresseerde blikken of met ogen als theeschoteltjes, buiten zitten en de tijd doden... In de straatjes aan de rand strekte zich het domein van de zigeuners uit, of van de onlangs geëmigreerde Italianen; de andere kant, die van de protestantse kerk op, niet ver van de synagoge, bevond zich een even luie volksmassa, maar daar verborgen de vrouwen zich niet, konden ze gaan en staan waar ze wilden, mochten ze zelfs naar de 'andere stad', de Europese, de stad 'van de anderen'!

Af en toe waagde Berkane zich in enkele van de weinige winkels van Europeanen, in de Marengostraat. Hij herinnert zich de Spanjaard, bakker in de Marengostraat die, het einde van hun oorlog ontvluchtend, 'hun eigen oorlog' (Si Saïd, de vader, had het over 'hun burgeroorlog'), nou goed, die Europeaan had zich daar gevestigd, met zijn vrouw, Valentine!

'Uit overtuiging', had de vader kenbaar gemaakt, 'had die

christen, een socialist, besloten zijn brood in onze wijk te verkopen! Hij zei "ik wil te midden van de inlanders wonen!"

Het bewijs', vervolgde Si Saïd eerbiedig, 'is dat hij en zijn vrouw een van de onzen als knecht hebben aangenomen, en ze behandelen hem goed.'

Ja, Berkane denkt aan die Spanjaard terwijl hij aan het stuur van zijn rammelkast de stad binnenrijdt. Toen hij uit de gevangenis kwam – hij was vijftien of iets ouder ten tijde van het staakt-het-vuren – was die bakker inmiddels overleden. Een jaar later was zijn weduwe niet langer de 'bazin' van Miloud, de knecht, maar zijn echtgenote: want terwijl de onafhankelijkheidsfeesten in volle gang waren, was het stel in het huwelijksbootje gestapt: ze dreven de kleine bakkerij verder samen.

Wanneer ik door de straten van mijn wijk wandel (tussen de Kijkgatstraat, die helemaal uit trappen bestaat, het grootste deel van de Blauwstraat, tot bioscoop Nedjma en nog iets verder naar beneden, bijna tot de moskee, naast de Beenhouwersstraat), zal ik die bakkerswinkel binnenstappen, misschien werkt het echtpaar er nog steeds.

Zijn auto bevindt zich nu te midden van druk verkeer; hij volgt een hoofdweg waarop het verkeer zo goed als vastzit: de markt in de Liervogel vermijden, denkt hij onwillekeurig.

Hij slaat rechtsaf een straat in die nog drukker blijkt: hij kan alleen nog maar geduldig afwachten; de auto's schuiven meter na meter op, voetgangers steken over waar ze kunnen: het was beter geweest als ik de ringweg had genomen, overweegt Berkane vol spijt.

Zijn gedachten zijn afgedwaald naar dat uit levenloze beelden bestaande verleden. Sinds zijn terugkeer, denkt hij, leef ik alsof ik slaap: alles loopt door elkaar, en slingert alle kanten op, en verandert steeds weer, overigens nog meer waar het een verder verleden betreft, zijn vroege kindertijd, of de jaren op de Franse school.

Hij betrapt zich erop danswijsjes te neuriën die zijn zusters vroeger zongen op hun binnenplaats, die ze deelden met enkele buurmeisjes die huurhuizen bewoonden: jonge, zo nu en dan blijmoedige meisjes, al zaten ze opgesloten, die alleen in de avondschemering naar het terras boven mochten, van waaraf je de zee en het grote kerkhof kon zien, om er te dromen. En het kind dat hij was profiteerde ervan om samen met hen zo over de wereld na te denken!

De auto rijdt verder. Plotseling steekt een jongen aan de rechterkant zijn hoofd naar binnen: 'O broeder!' zegt hij in het Arabisch. 'Schiet op, schiet op!'

Het is niet het gebruikte mengtaaltje – een woord Arabisch, een woord Frans – waarvan de bestuurder opschrikt, het zijn zijn te zeer glinsterende ogen. Snel draait Berkane het raam omhoog: de jongeman kan nog net zijn hoofd terugtrekken.

Berkane had gezien dat de blik van de indringer zich op zijn Leica-fototoestel richtte, naast hem op de bodem, maar toch goed zichtbaar vanwege zijn grote tas. Alsof zijn instinct van jongen uit de Kashba die hij is weer opleefde, drong binnen een seconde tot hem door dat de knul ineens het portier zou kunnen openen.

Opnieuw schuift de wanordelijke massa voetgangers en voertuigen met een slakkengang naar voren! Berkane merkt dat de jonge onbekende zich aan de andere kant tegen zijn auto blijft aandrukken. In de achteruitkijkspiegel ontwaart hij een andere knul die op iets uit is. Erger nog: hij heeft een opengeklapt zakmes in zijn handen; opeens ziet Berkane de man pogingen doen een van de banden van de auto lek te steken.

Waarop de eerste kornuit harder dan nodig tegen het raam tikt en hem te kennen geeft: 'Ik geloof dat je een lekke band hebt!' Hij glimlacht met een gezicht alsof hij het rot voor hem vindt.

Berkane besluit niet uit te stappen; hij weet bijna zeker dat er van achter een derde maat zal opdoemen: de tactiek van de boefjes vroeger in zijn wijk was altijd dat een derde er met de buit vandoor ging, terwijl de twee handlangers het straffeloos lieten gebeuren en deden of ze van de prins geen kwaad wisten.

De auto rijdt langzaam: 'Jammer voor mijn band, laat ik maken dat ik wegkom uit dit wespennest!' bromt hij, gegriefd zo dicht bij zijn wijk als een rijke vreemdeling gezien te worden, dus een aantrekkelijk slachtoffer voor de boefjes van nu.

Ik moet geduld hebben! denkt Berkane. De auto vordert vier, hooguit vijf meter! De beide jongens zijn er nog steeds en lopen loerend met de Simca mee. De derde, die niet binnen het blikveld van Berkane valt, zal proberen de duimschroef aan te draaien: opeens een verdacht geluid in de auto. Zelfs zonder zich om te draaien begrijpt Berkane het meteen.

Achter zijn de ramen niet helemaal dicht. De knul heeft, waarschijnlijk met een vinger, een traangasbommetje naar binnen geduwd om de bestuurder, verstikt door het gas, zo te dwingen het raam te openen. De handlanger staat klaar om zich vliegensvlug van de prachtige tas meester te maken – een geschenk van Marise: ze overschatten de waarde van het fototoestel!

Bijna stikkend van benauwdheid en met rode, brandende ogen ziet Berkane geen steek meer. Hij houdt zijn adem in: niet uitstappen! Hij herhaalt het bevel in gedachten, alsof het voor hem een erekwestie is te voorkomen dat hij 'vlak bij huis' het slachtoffer van straatrovers wordt...!

Opeens komt er weer beweging in het verkeer. Berkane geeft gas: een eindje verderop draait hij de ramen weer open en krijgt hij eindelijk frisse lucht.

Een kwartier later komt hij met nog rode ogen bij de fotograaf aan; na zijn relaas – de ander drijft een beetje de spot met hem: 'Ze zagen je aan voor een ontwikkelingswerker of een rijke toerist!' – stellen ze gezamenlijk vast dat de auto er treurig uitziet: 'De band verwisselen, natuurlijk! Maar ik wil ook aangifte doen! Ik weet zeker dat ik ze zal herkennen!'

Amar kijkt hem meewarig aan: 'Dit vergrijp is zo gewoon! Denk je heus dat de politie na je aangifte iets zal ondernemen!'

Berkane blijft koppig bij zijn voornemen.

'Het is te merken dat je nog maar net terug bent! Was het maar zo dat in al die jaren alleen maar het aantal dieven groter was geworden!'

In de stem van Amar klinkt enige bitterheid door: daarna zegt hij niets meer en richt hij zijn aandacht geheel op de afgegeven filmrolletjes...

'Neem me niet kwalijk!' antwoordt Berkane na een stilte en helemaal beduusd.

2

Amar en ik zijn al vrienden sinds de jaren dat we in Algiers de universiteit bezochten! Sindsdien zagen we elkaar bijna jaarlijks, maar altijd in Parijs.

'Je bent mijn gast,' besluit Amar deze dag, 'laten we naar La Pêcherie gaan! Daar krijgen we, zoals altijd, de meest verse poon en mooie zeebrasem!'

'Mij best: in mijn dorp eet ik al een week alleen maar vis!'

We gebruiken de middagmaaltijd te midden van lawaai, maar met het genoegen zeelucht in te ademen; daarna staan we op. Mijn ongeduld om 'mijn' wijk terug te zien is zichtbaar. Als voor een liefdesafspraakje zie ik op tegen 'het moment' en tril ik tegelijkertijd van innerlijke opwinding.

Amar kent me beter dan ikzelf.

'*Bilati, bilati*, zoals Marokkanen zeggen', raadt hij me aan, hij die onlangs met een jonge vrouw uit Fez is getrouwd.

Hij belooft mijn foto's met zorg te zullen afdrukken. We spreken af voor de volgende ochtend.

'Ik heb Driss, mijn broer, laten weten', zeg ik, 'dat ik vanavond naar hem toe kom: we zullen bij elkaar zitten als was het een avond voor vrijgezellen.'

Amar en ik, we staan nu allebei, naast elkaar, bijna voor de ingang van Djemaa el Djedid (die de Fransen de moskee bij La Pêcherie noemden); van daar keek ik naar het grote, achthoekige en drukke plein.

Zo dadelijk zullen we het oversteken om vervolgens uiteen te gaan, ieder zijn eigen kant op. Tijdens deze minuut aandachtig kijken neemt een, hoe moet ik het zeggen, collectieve herinnering bezit van mijn geest. Ik stel me de dag voor waarop onze zogenaamd onneembare stad geweld werd aangedaan: met veel pracht en praal trok het Franse leger van Karel X er binnen. Hassan Pacha, de laatste dei, was nog niet met zijn vrouwen, en een groot aantal van zijn janitsaren, scheep gegaan naar Livorno, en verder naar Constantinopel.

Deze duik in het verleden maak ik onwillekeurig elke keer wanneer ik opnieuw op dit plein sta, alsof ik in het uurwerk van de Tijd word teruggezet – in dit geval ruim anderhalve eeuw. Waarom, waarom toch steeds weer dat obsederende beeld?

Van de onrust die bezit van me neemt, breng ik tegenover Amar – voor wie ik vroeger zo veel beelden van die periode opriep (zoals van de Zwitser Otth, van de Engelsman Wild) – slechts ter sprake wat ik met mijn blik vanuit het verleden juist op deze plekken vaststel: een verwoesting die wij voor ons zien, een kerkhof van moskeeën, paleizen, huizen... dat alles neergehaald binnen drie, vier, vijf jaar na juli 1830.

'Afbraak,' zeg ik, 'je weet hoezeer me dat op een manier die me pijn doet boeit! Ik had archeologie moeten gaan studeren, om vervolgens leiding aan opgravingen te kunnen geven, en hier, op dit plein, zou ik eerder stenen dan lijken bovengehaald hebben!'

En aangezien Amar zwijgt, voeg ik eraan toe: 'De vroegere *Jenina* van El Djezaïr, een aantal paleizen, enkele zeer stijlvolle Ottomaanse moskeeën, meer dan een kwart van de monumenten in het centrum van Algiers is verdwenen om plaats te maken voor deze kale vlakte, dit exercitieplein op z'n Frans, tegenover de moskee El Ketchaoua die ze zich als hun kathedraal hebben toegeëigend! Deze snelheid, deze barbaarse doeltreffendheid in het afbreken heeft me altijd paf doen staan!'

'Oordeel niet over gisteren met de logica van vandaag!' raadde Amar me aan, die naast me voortliep. 'Of je wilde of niet, overal was afbraak regel, in de negentiende eeuw; in 1830 kregen we te maken met de onverbiddelijke wet van de overwinnaar... Kan dat niet net zo goed van de afgelopen twee decennia gezegd worden, gezien de op stadsontwikkeling gerichte politiek van onze huidige bestuurders?'

Hij pakt me bij de arm: hij is een man van het heden, Amar, anders dan ik, die zich door dromen laat misleiden. Hij voegt eraan toe: 'We zijn met de Canadezen in zee gegaan met als argument dat, samenwerkend met Québec, de Franse taal de omgang zou vergemakkelijken! Er is tot een heel moderniseringsprogramma aan het andere uiteinde van de stad besloten met een reusachtig budget, een pseudo-cultureel vrijetijdscentrum, ontworpen alsof we ons in de omstreken van Montréal bevonden; daarbij zijn ze tevens op het idee gekomen herdenkingsmonumenten voor onze helden op te richten in een afzichtelijke neorealistische stalinistische stijl!

De Franse taal heeft met de keuze van de leverancier niets te maken! Het ongezonde element bij deze stadsontwikkelingsprojecten zijn de geldstromen: er vindt geen enkel overleg plaats met de mensen die ter plaatse komen te wonen: er wordt niet van gedachten gewisseld met vertegenwoordigers van families, ook niet met traditionele handwerkslieden, nee, geen enkel vertrouwen in de burgers! Het is alleen maar vriendjespolitiek en elkaar geld toeschuiven. Je kent dat!' (Ik lach bitter.) 'Als Algiers in de tijd van Jugurtha had bestaan, had hij niet eens naar Rome hoeven gaan om zijn beroemde belediging te laten horen: "Stad te koop!"'

Straks gaan we uiteen; we staan daar maar, tegenover elkaar, in ons innerlijk schouwend en om ons heen kijkend, bedroefd opeens, want eensgezind. Amar, die zich altijd ironischer toont dan ik, besluit: 'Je had het over onze helden, wat de monumenten voor de doden betreft, opgericht tegenover het huis van architect Pouillon – hij die in staat bleek een van onze oude huizen te renoveren: konden onze martelaren opstaan uit de dood, dan zouden velen van hen aarzelen denk ik, zich nog eens op te offeren, weet je waarom?'

Hij maakt een spottend gebaar in de richting van de hemel: 'Vanwege zo veel lelijkheid die geacht wordt hen te eren...!'

Hij draait zich om en ik hoor zijn barse stem nog vervolgen: 'Een prettige wandeling, broeder, en tot morgen!'

Nog met mijn rug naar de Kashba wierp ik een laatste blik, voorbij de minaret van de Nieuwe Moskee, op die, soberder, van de Grote Moskee van voor de Turken.

Daarna keek ik op naar de hemel, liet ik vooral het licht aan dit begin van de middag op mijn ogen inwerken: het leek te flikkeren; doordat het zo fel was, omgaf het de omtrekken van de huizen, de bomen, de daken, de leegte daartussen met een stralenkrans. Aan de kant van de bogengang waren mensen druk in de weer of stonden ze in groepjes bij elkaar, armen zaten op een kluitje op de grond en anderen, onder wie enkele gestalten van bedelaressen, leken langzaam vervagende schimmen.

Ik knipperde enkele tellen met mijn ogen, en net als vroeger in mijn jeugd – toen ik me heel vaak tot hier waagde, herinner ik me, tot het Paardenplein met het ruiterstandbeeld van de prins van Orléans dat er nu niet meer staat, maar dat ik nog voor me zie oprijzen zoals ik me uit mijn kindertijd herinner, in hetzelfde licht – ja, keek ik aandachtig het hele plein rond, vanaf de beide slanke minaretten, die met een klok en die van Ibn Tachfin, vervolgens richting havendam, vaag te zien, met verderop La Pêcherie, en de Admiraliteit, op de achtergrond, en ik hoorde zelfs het ronkende lawaai van de passagiersschepen waarvan je wist dat ze vlakbij waren.

In één keer maak ik een halve draai: ik richt een begerige blik op de driehoekige vlek die 'mijn' berg is, mijn 'dennenappel'-stad, mijn Kashba, mijn thuis, mijn burcht, mijn wijk, *houma*, hetzelfde gebleven dankzij de duurzaamheid van de stenen, de huizen met terrassen, de donkere straten en de trappen met bordessen, en de smalle stroken hemel die met je meebewegen, de steegjes vooral, waar een mensenmassa doorheen stroomt, bochtige steegjes waarin gelach, gezang klinkt, vol mannen en jongens, met af en toe heel even vrouwen, geen fatsoenlijke meisjes, dat spreekt vanzelf, maar van het soort dat buiten loopt wanneer het wil; dat lawaai, die chaos, dat allegaartje, dat hooggelegen bergdorp, aflopend naar de zee en haar stormen, mijn Kashba, ik keer ernaar terug, ik keer ernaar terug om weer tot leven te komen, mijn hart bonkt ervan, ik zou er willen blijven slapen, steeds er binnenin om herinneringen bij me boven te halen, steeds buiten om te rennen, ja, gisteren, vandaag, nu en altijd, zelfs wanneer ik elders ben, ben ik hier...

Laten we, net als vroeger, bij ons binnengaan via Bal el Jdid!
Laten we, na twintig jaar, terugkeren naar het Paardenplein!
O mijn Kashba, mijn schip,
mijn beide eilanden,*
mijn eerste stappen...

Lieve Marise,

Wat zal ik je vertellen over mijn eerste bezoek aan de vertrouwde grond van mijn kinderjaren?

Ik ben er pas heen gegaan een week nadat ik mij in Douaouda had gevestigd waar ik nu woon – al die tijd om me aan de stilte te ontworstelen of die staat van innerlijke ontbinding waarin ik me bevond een halt toe te roepen, die ik voor mijn broer Driss verborgen heb weten te houden, en ook voor Amar die de foto's die ik tijdens mijn eerste tochten had gemaakt met zorg heeft

* In het Arabisch betekent Algiers letterlijk: de eilanden.

afgedrukt – laten we ze, als je het goedvindt, met verwijzing naar Eugène Fromentin, zoiets als 'mijn herfst in de Sahel' noemen!

Ik probeer je een indruk te geven van mijn eenzaamheid bij het weerzien van de plekken waar ik opgroeide: nadat ik die dag urenlang tot de avondschemering rondgedwaald had, was het bijna donker toen ik uitgeput moest vaststellen dat ik – behalve plekken waar mijn leven zich had afgespeeld die verpest, verloederd, je kunt zelfs zeggen onteerd waren – niets teruggevonden had van de plekken waar het vroeger krioelde van de mensen en bruiste van het leven, ik heb ernaar gezocht, op het moment dat ik je schrijf heb ik ze nog niet gevonden!

Ik ben gisteren – nou ja, niet meer dan twintig jaar geleden – van deze kusten vertrokken. Ik dacht echt gewoon naar 'elders' vertrokken te zijn, wat is er alledaagser, de plekken, de mensen zouden – dacht ik – achter mij blijven bruisen van leven, dus ik ook in mijn binnenste – ik die dacht slechts tijdelijk afscheid te nemen, slechts voor even weg te gaan.

Een smartelijk lied had het in mijn kindertijd altijd over: jij, *el Menfi*, die het vaderland verlaten hebt...! Zo zie ik ook jou, Marise, onaangetast zoals mijn woonplaats vroeger, mijn Kashba-burcht, terwijl je toch van mij gescheiden bent. Mijn huidige Kashba is echter bezoedeld; erger dan dat ze ontluisterd zijn, o Marlyse, word ik me er te laat van bewust dat ik de plekken waar ik mijn kindertijd doorbracht niet gelijk kan stellen met geliefde wezens!

Mijn vroegere rijk, ik zocht het in de kleinste straatjes, in de grote straten, op de pleintjes, in de steegjes en zelfs bij de fonteinen, bij de kleine moskeeën, bij de bidvertrekken op de kruispunten! Alle plekken vertoonden zich aan mij, toen ik ze eergisteren zag, in een meedogenloos licht, de troosteloze beelden trokken aan mij voorbij bijna alsof ik in een draaimolen zat! Maar, ik zei het al, ze zijn veranderd in plekken waar het leven nagenoeg is verdwenen, ze zijn verwaarloosd en ontdaan van alles, ten prooi aan een noodlottig verval!

Huizen tussen bergen puin, bouwvallige oude huizen, en deze bouwvallen zijn al deels bedolven onder vuilnis, af en toe torenhoge piramides afval en drek, enkele straten midden in het oude Algiers waarvan een straatkant geheel is verdwenen, als om de wind er vrij spel te geven. Soms kon ik bepaalde moorse koffiehuizen of rommelige maar drukke winkeltjes niet meer terugvinden, of met moeite, en oude deuren die ik af en toe herkende, waren ontdaan van hun van fijn houtsnijwerk voorziene bovendrempels...

Ik beschrijf je niet een ramp die zich plotseling heeft voltrokken, ook niet de gevolgen van een recente aardbeving, waarvan de schade nog door de mensen moet worden hersteld – nee, hoe moet ik het zeggen, althans wat het hoge deel van de Kashba betreft, dat is gedeeltelijk nog hetzelfde, de huizen en de mensen kijken je aan alsof je van een andere oever komt. Wel is het zo dat de bewoners zich er heel vaak pas na '62 gevestigd hebben, toen de stormloop van het platteland naar de stad ervoor zorgde dat de lege huizen van de Fransen weer betrokken werden. Deze laatsten, die in het naburige Bab-el-Oued of in de Marengostraat hadden gewoond, waren er in de zomer van '62 binnen een paar maanden vandoor gegaan, alsof het een seizoensmigratie betrof... En deze opnieuw bezette woningen lijken, ik weet niet waarom (of misschien is het gewoon mijn scherpe kinderblik die de wijk weer voor zich ziet) ja, deze woningen, vroeger voorbehouden aan de eenvoudige blanken, lijken nog steeds op deze laatsten te wachten.

Vergeef me mijn ontsteltenis: de noodlottige besmetting die ik van deze onaangename terugkeer meebreng, het zal me nog lang bezighouden, in al zijn aspecten, het zal me opnieuw bezighouden; vooralsnog lukt het me niet – als een kat met zijn in de war geraakte knot wol – mijn reactie onder woorden te brengen, het is alsof ik totaal verlamd ben!

Bouwvallige huizen, vol families die pas een paar dagen eerder hier lijken te zijn aangekomen en niet al jaren geleden... Mannen en jongens, roerloos in portieken in een doodlopend straatje bijeen; wat me echter opvalt is het grotere aantal vrouwen dat ik buiten zie, vaak jonge meisjes, met de schooltas aan de hand en een kwieke tred; ik stel vast dat er bijna geen witte, elegante sluiers meer worden gedragen, van het soort dat de heupen goed deed uitkomen, ook de glinsterende ogen van de te zichtbare onzichtbaren zijn verdwenen. Nu haasten zich andere voorbijgangsters voort, gehuld in lange grijze tunieken, op z'n Marokkaans, wier haren schuilgaan onder een zwarte hoofddoek, op z'n Iraans.

Lieve Marise/Marlyse, ik ontdek dat, net als jouw voornaam, mijn teleurstelling over deze terugkeer naar mijn wijk tweeledig is. Een weerzien dat onmiddellijk een breuk teweegbrengt, schipbreuk lijdt, als een passagiersschip waarvan de punt naar beneden duikt voor het zinkt. Hoe kan ik niet tot de volgende slotsom komen: mijn Kashba, zonder dat iemand er iets aan deed, uit gezamenlijke laksheid in verval geraakt, mijn vestingstad waar elke persoon nog slechts zomaar een persoon is, en nooit lid van een gemeenschap, van een rumoerig maar levendig geheel, deze stad die tevens een dorp is, sterk verbonden met de bergen en de zee, is voor mij een woestenij geworden omdat zij in zo'n jammerlijk vervallen staat verkeert...

Ik heb om kort te gaan niets meer om op terug te vallen: zou mijn kindertijd voortaan het enige zijn...?

Ik zal je een voorbeeld geven van mijn plotselinge onvermogen mijn woorden te vinden: sinds gisteren ga ik zowel Rachid de visser als de kruidenier, met wie ik domino speel, uit de weg... Ik hul me in stilzwijgen, als een weduwe uit vroeger tijd die veertig dagen in het donker moest doorbrengen of stille gebeden moest zeggen, en in die overgangsperiode probeer ik, ten prooi aan mijn onvermogen om onder woorden te brengen waarom mijn reacties zo bedrukt zijn, door jou te schrijven er toch achter te komen hoe ik passend zou moeten reageren!

Berkane

Ook deze tweede brief aan Marise zal, niet dichtgeplakt, op mijn tafel blijven liggen, net als de eerste; ik verwacht haar hulp, hoewel ik zelf niet precies weet wat mijn gevoel van onbehagen veroorzaakt: de trage, onomkeerbare verloedering van de wijk waar zich mijn kindertijd heeft afgespeeld, een bijna opzettelijk aan zijn lot overgelaten worden door de plaatselijke overheden die geen enkel oog hebben voor het indrukwekkende verleden van het stadsdeel. Wat de herdenking van de 'slag om Algiers' betreft, heeft men volstaan met het vervangen van de vaak herinneringen wakker roepende namen met betrekking tot het koloniale verleden door gewoon de voor- en achternaam van een groot aantal slachtoffers van de onderdrukking in '57!

Zien we in derdewereldlanden niet steevast dat het verleden wordt weggemoffeld? Alsof het memoreren aan het lijden op de plaatsen zelf niet meer is dan het zetten van een stempel: de naam, punt, dat is alles! Is juist dat niet het bewijs dat de hele maatschappij buiten adem voorwaarts rent, zich blindelings en gehaast op bezigheden stort die alleen maar op overleven gericht zijn?

Vage sporen, verborgen in dat kloppende hart van de hoofdstad!

Maar ik zeur: ik kom niet als bestrijder van onrecht naar de geboortegrond en als de plaatsen zo belangrijk voor me waren, waarom had ik dan niet voorgoed de Blauwstraat als woonplaats gekozen, tegenover de Nedjma-bioscoop – die, zo stelde ik vast, alleen nog maar een niet meer in gebruik zijnd krot is, waar de muren stinken naar urine?

Alles welbeschouwd, als ik stedebouwkundige, architect of stadssocioloog was geweest, zou er juist op de vervallen plekken gewoond moeten worden...

Wanneer Odysseus na een minder lange afwezigheid dan de mijne terugkeert, komt hij als een onbekende op Ithaka aan land, zij het dat de hond de enige is die hem onder zijn zwerverslompen aan zijn geur herkent. Ik heb geen voor eeuwig trouwe echtgenote, sommigen zouden kunnen opmerken dat mijn terugkeer, dat ik me daaraan vastgeklampt heb na haar besluit om te breken, zij, de 'Française', zoals mijn moeder haar droefgeestig noemde!

Ik herinner me weer de periode (aan het begin van onze relatie) waarin ze een van de twee vrouwelijke rollen speelde in een Amerikaans stuk, in dat kleine theater in het 14de arrondissement. Het eerste succes van mijn vriendin.

Ik, onder de indruk van haar prestatie: een lang tweegesprek tussen Marilyn Monroe voor ze stierf en de geestverschijning van haar toen ze jong was, ten tijde van haar debuut, twintig jaar daarvoor; twee uur compacte tekst, zonder decor (een lamp, een smal bed, een stoel), in een licht dat geleidelijk zwakker wordt en Marilyn die in de vermeende ijlkoorts van haar laatste ogenblikken, alsof ze hallucineert, een heftige, vergeefse worsteling levert.

Ik ging achter in de zaal zitten en tien, twintig avonden achter elkaar liet ik me, samen met steeds nieuwe toehoorders, al luisterend meeslepen. Ik sloot mijn ogen, volgde de talloze nuances van de stem van de als het ware hallucinerende vrouw, elke avond dezelfde en toch steeds weer anders... Ik vond dat het nooit meer mocht ophouden, zodat ik haar daarna nooit meer heb willen zien spelen. Op avonden dat er première was, vreesde ik (ook al sprak ik haar in haar kleedkamer moed in, bracht ik haar onuitgesproken angst tot bedaren), wanneer het nieuwe stuk eenmaal begonnen was, weer gegrepen te worden door het verlangen dezelfde jammerklacht, de melopee van nauwelijks waarneembare zuchten opnieuw te horen. Ik, de eeuwige vagebond, de onvermoeibare luisteraar, bedroefd of lachend in reactie op de vrouw die daarginds voor iedereen zichtbaar in de schijnwerpers zat...

Nu weet ik waarom dat op mij zo'n magische uitwerking had: mijn troebele geheugen trof daar, in die volle aandacht van allen, een afspiegeling aan van de avonden in de Nedjma-bioscoop, in de Kashba...!

3

Na een nacht diep geslapen te hebben, besefte ik onder de ijskoude douche plotseling dat het nodig was een tweede keer naar daarginds, waar mijn kindertijd weer tastbaar wordt, terug te gaan. Alsof mijn onderbewustzijn de hele nacht terwijl ik stillag arglistig op die behoefte had gezonnen om terug te keren, het nog eens te proberen; ik gebruik deze woorden op de manier van een verliefde man die in de richting van de geliefde een tweede en laatste poging tot verzoening doet...

Ik reed 's ochtends het hele stuk zonder onderbreking; toen ik de buitenwijken aan de westkant bereikte nam ik een andere route: langs een omweg, via een wirwar van straten waaruit het verkeer, misschien vanwege mijn onvoorzichtig hoge snelheid, plotseling verdwenen leek. Ik reed langs de Citadel, vervolgens langs de poort van de Barberousse-gevangenis. Ik parkeerde aan het eind van het Marengopark, om te voorkomen dat ik op het grote Martelarenplein zou uitkomen.

Vervolgens liep ik gehaast, alsof ik een dringende afspraak had (met wie, ik vraag me af met wie), eerst langs het Groot Lyceum, waar mijn gedachten altijd even naar Albert Camus gaan, die toen hij nog een jongen was elke dag uit de tram stapte die hem van Belcourt aan het andere eind van de stad naar hier had gebracht, voor de poort van mijn Kashba die hij waarschijnlijk maar een enkele keer is binnengegaan, denk ik...

In die tijd was ik nog niet geboren, mijn ouders waren zelfs nog niet eens getrouwd, mijn moeder, toen elf of twaalf, was net gedwongen de Franse school te verlaten: dat alles, dat droombeeld van mij onbekende en tegelijkertijd al te bekende schimmen, alsmede die Franse schrijver uit Algerije die me, zo leek het, een tikje met de vingers tegen mijn wang gaf, alsof hij tegen me wilde zeggen: 'Niet het Groot Lyceum, knul, niet de universiteit, alleen literatuur, schrijver of prulschrijver, wat doet het ertoe, maar met een droom in de vingers, in een gefluisterde, of onuitgesproken, en voor eeuwig en altijd zonnige taal...' dat alles...

Mocht ik van plan zijn voor de ingang van het Groot Lyceum te blijven rondhangen, samen met de jongens die elkaar opzij duwend uit de drukke tram stappen, dan zou ik meteen weer mijn zoveelste tweegesprek aangaan met de enige hier geboren Fransman, de tweede na Eugène Fromentin – de voorbijganger met de arendsblik – die in staat was onuitwisbare sporen achter te laten van hoe mijn land was – een Franse kolonie, maar niettemin mijn land, waarop Camus zijn rijke blik vestigde, zoals een Arabische vrouw zou doen, maar zij met neergeslagen ogen van achter haar zijden gezichtssluiertje – en ik voeg aan deze beiden nog toe: de oude Delacroix, ook Guillaumet, in enige mate, en die andere Albert, Albert Marquet, de vriend van Matisse, zulke waarnemers, meestal zijn het schilders, want zij zijn de voornaamsten, zij komen van overal en nergens, zo is het altijd geweest, aan beide kanten van de Middellandse Zee – avonturiers, zeerovers, afvalligen, maar ook gefascineerde schilders... Een kwestie van zich ertussen dringen en een wonder voor hun ogen.

Dichter bij mijn wijk komend, maar nog niet in de Blauwstraat, pas in de Kijkgatstraat, deed ik bijna onwillekeurig wat elke vaste bezoeker doet die enige tijd weg is geweest: binnenstappen bij de eerste de beste kapper die open is.

Ik draai mijn hoofd om, sluit mijn ogen en bijna meteen zie ik mezelf weer twintig jaar eerder in de zaak van mijn oom van moederskant, Mouloud, die Tchaida genoemd werd en nu al lang dood is. De kapper die hem opgevolgd is, nu een oude man, herkent me ten slotte en toont zich verbaasd.

'Tchaida!' zucht hij, vervolgens zachter, weer meester over zichzelf wordend: 'Ja, Mouloud! Moge God voor zijn zielenheil zorgen, het lijkt pas gisteren... Beste zoon, we zijn hem niet vergeten, wees daarvan overtuigd!'

En in één keer is het verleden daar weer, met zijn sombere en luchtige kanten.

Ik sta in dat piepkleine zaakje: toen ik nog kind was, kwam die plek me voor als een spelonk uit duizend-en-één-nacht. Tchaida, oud-bokser, na een korte carrière teruggekeerd uit Frankrijk, daarna omgeschoold tot kapper, in welk vak hij door de hele Kashba als een 'kunstenaar' werd beschouwd. Hij knipte niet zomaar elke klant die bij hem binnenstapte: in de eerste plaats omdat Tchaida als een estheet al bij de eerste blik op de man, op zijn hoofd (soms vroeg hij de onbekende zijn hoofd naar alle kanten te draaien) bij zichzelf naging of deze de knipbeurt wel waard was, in welk geval dit werk hem minstens twee uur zou kosten (hij schroeide haarlokken zelfs akelig precies met een kaarsvlam af) en de kapper eiste engelengeduld van de patiënt...

In de tweede plaats hing alles eveneens af van het tijdstip waarop de klant zich aandiende: gewoonlijk was het enige gunstige moment dat na zijn dagelijkse heroïne-injectie, en minstens een paar uur voor hij aan de rode wijn begon, om vervolgens 's avonds te besluiten met zijn kifsigaret, die hij meestal in kleine kring rookte... De zaak kreeg dan het aanzien van een rooksalon.

Aangezien hij 's avonds at en sliep bij zijn oude moeder, die vlakbij woonde, zorgde hij ervoor dat hij dan geen kifgeur meer bij zich had: Mouloud (thuis was men de schuilnaam uit de tijd van zijn sportieve activiteiten vergeten) had veel eerbied voor zijn moeder...

Tchaida was in mijn vroegste kindertijd (tot mijn elfde) de persoon die het dichtst bij me en door zijn leefwijze tegelijkertijd het verst van me af stond: alsof hij niet in dezelfde wereld leefde als mijn zo waardige vader en mijn zo onuitstaanbare broer. Ik hield van hem, Tchaida; en ik genoot zijn volle vertrouwen.

Ik stond bijna elke dag tot zijn dienst: hij rekende op me, aangezien ik, een kind nog, maar van wie hij wist dat ik van hem hield, geacht werd voor de aanvoer van zijn verdovende middelen te zorgen.

Ik zie me nog de smalle Nijlstraat (die in het Arabisch de

zenkette El Meztoul, de Verslaafdenstraat, genoemd werd) van begin tot eind aflopen: het is beslist de smalste straat van de Kashba, ze is nog geen meter breed en dat over een afstand van minstens honderd meter.

Als kind kende ik het verhaal al: de metselaar die haar vroeger gebouwd had, zo werd er verteld, had zo veel joints gerookt dat hij elk idee van maat kwijt was, vandaar haar Arabische naam.

En deze onder invloed van verdovende middelen hallucinerende metselaar voerde me alsof het een heel gewone zaak was steeds weer terug naar mijn oom, voor wie ik als boodschappenjongen fungeerde, natuurlijk zonder dat mijn vader het wist. Ik zie me dus heel vaak midden op de dag in die Nijlstraat op pad gaan en vervolgens dezelfde tocht maken: vanaf de Fontein voor de dorstigen langs de Oven bij de goot – de bakkersoven van een banketbakker die vermaard was om zijn ronde koeken, *keu-katt*, gewild bij burgervrouwen voor 's middags bij hun koffie. Vervolgens kom ik langs de bekendste verkoper van kettingen van jasmijnbloemen en oranjebloesems; ik loop om de Sidi M'hammed Chérif-fontein, langs de moskee Es Safir (voor Reizigers). Ik kom weer op adem terwijl ik voor de gesloten buitenblinden luister naar de eentonige litanieën van de zo eerbiedwaardige godgeleerden. Ik ben nu bijna waar ik zijn moet: meteen na de kleine Weduwenfontein wacht me, dat is zeker, in zijn hoekje, in de buitenlucht, de matrassenverkoper. Hij heeft een bochel en zit naast een bordje met in Franse hoofdletters TE KOOB, zonder dat hij weet heeft van de spelfout. Iedere klant die hem vraagt naar de prijs van de matras, krijgt van de gebochelde laatdunkend ten antwoord: 'Die is al verkocht!'

Maar ik weet: in de matras zit kostbaarder koopwaar verstopt. Zwijgend overhandig ik de verkoper het vrij zware muntstuk dat mijn oom me heeft gegeven (samen met een lichter muntje waar ik snoepjes voor mag kopen).

Gewoontegetrouw werpt de gebochelde een blik achter me om zich ervan te vergewissen dat niemand me gevolgd is; hij buigt opzij en haalt een tot een driehoek gevouwen stukje glanspapier uit de matras. Daar zit, zo weet ik, de dagelijkse dosis wit poeder voor Tchaida in.

Ik ren opnieuw, nu de andere kant op, tot ik bij de kapsalon in de Kijkgatstraat ben. Wanneer hij me ziet komen, sluit mijn oom zijn deur. Ik loop tot helemaal achterin met hem mee. Ik kijk toe hoe hij de inhoud van het pakketje voorzichtig in een bakje strooit, er wat kraanwater bij doet en alles snel vermengt. Dan pakt hij een injectiespuit, vult die met de vloeistof – af en toe drinkt hij gulzig de laatste druppel die in het bakje achtergebleven is. Telkens weer met dezelfde nauwkeurigheid, want het kind dat ik ben kijkt, kijkt vol aandacht toe, knoopt hij een mouw van zijn hemd los, pakt een knevel die hij om zijn biceps knoopt, wat hij – terwijl ik de spierbundels van mijn oom, de vroegere bokser, bewonder – doet om de ader te laten zwellen. Nog steeds met opgeheven hoofd kijk ik toe hoe hij tast, vervolgens de naald inbrengt, de vloeistof ten slotte langzaam naar binnen spuit, waarbij er druppels zweet op zijn voorhoofd verschijnen, hij zijn ogen sluit, ik niet meer voor hem besta. Ten slotte trekt hij de spuit terug, ploft neer in zijn leunstoel, knoopt het elastiek van de knevel los, nog steeds met zijn ogen dicht, zijn hoofd hangt opeens naar voren: roerloos, hij is ver weg, heel ver weg en ik word bijna bang. Ik loop langzaam achteruit. Ik heb hem geholpen. Ik moet nu terug naar huis; niets tegen mijn moeder zeggen, vooral niets tegen mijn moeder zeggen, ook niet tegen mijn broer die me, op de hoek van de Blauwstraat, beknort en me een standje geeft omdat ik, zo zegt hij, 'rondhang'.

Ik, zo jong, ik heb een geheim: mijn oom stelt vertrouwen in me en dat zal tot zijn dood zo blijven!

Deze zelfde salon waarin ik me nu bevind, was door mijn oom tot een bevoorrecht oord gemaakt ook voor andere verslaafden: een heel gezelschap hasjiesjrokers.

Gewoonlijk gingen helemaal achter in de ruimte de met kif

volgestopte gedraaide sigaretten bij de vrienden van mond tot mond. Ik zie zelfs de pijp weer voor me waarvan het mondstuk in een kom water neerhing en waar ieder om de beurt aan zoog. Ten slotte waren ze gehuld in een wolk van rook en hun woorden kabbelden traag voort, op een toon die ongewoon vriendelijk klonk.

Deze bijeenkomsten van kifrokers werden beslist nog drukker bezocht in koffiehuis De Bron in de Staouélistraat. Althans tot de dag, helemaal aan het begin van de 'slag om Algiers', waarop Ali-la-Pointe (zijn bijnaam, want hij kwam uit Pointe-Pescade), ja, tot de dag waarop deze Ali-la-Pointe, die een zowel door leger, politie als verklikkers gezochte held geworden was en die niettemin al zijn vijanden tartte, koffiehuis De Bron een bezoekje bracht: hij deelde mee dat hij alle verslaafden in de wijk in ieders bijzijn zou laten geselen... De volgende dag ging hij daadwerkelijk tot handelen over, en dat op honderd meter afstand van de militaire post van de zoeaven – toen een voorbeeldige les om in dat voorjaar van 1957 duidelijk te maken dat het uit was met de opium en de kif als vluchtmiddel, maar dat er vanaf dat moment onverwijld voor de onafhankelijkheid gestreden diende te worden. Ja, Ali-la-Pointe in eigen persoon, die zichzelf, in de winter van datzelfde jaar 1957, liever in zijn schuilplaats opblies dan dat hij zich aan de soldaten overgaf.

Mijn oom Tchaida was toen echter al gestorven, en even dramatisch, trouw aan zijn leven van hersenschimmen najagende gebruiker van verdovende middelen, en dus aan de persoon die hij was.

Ik breng mijn oom pas de volgende dag bij mijn vriend de visser ter sprake. Die me zwijgend aanhoort.

'Onlangs zei je toch dat ik meen een Duitse schrijver geschreven heeft: "Ongelukkig het land dat een held nodig heeft", is het niet?'

'Ja, het betreft Bertolt Brecht die zich, in zijn ballingsoord ver weg van zijn onder het nazisme gebukt gaande land, in zijn theater afvraagt wat je onder een held zou moeten verstaan!'

'Helden tijdens de oorlog in Algerije werden moedjahedien genoemd, een godsdienstige term, is het niet?'

'Dat heeft niets te maken met de held uit mijn kindertijd', zeg ik. 'Die als oud vuil werd beschouwd omdat hij elke dag verdovende middelen gebruikte! Maar bij zijn zeer tragische dood maakte het gewone volk er een voorbeeldige persoon van...'

'Bij zijn dood?' vraagt Rachid.

Ik zwijg, met mijn gedachten elders: dan moet ik het toch vertellen.

Terwijl het aantal aanslagen in de stad toenam, kwam mijn oom Tchaida, die opeens een vreemd voorgevoel had gekregen, over zijn hele lichaam bevend, maar geestelijk helder deze keer, naar ons huis waar mijn grootmoeder herstellende was van een zware oogoperatie.

Hij wilde, zo zei hij, van alles en iedereen afscheid nemen! Woorden die door niemand serieus werden genomen en ik, die er ook bij was, was de enige die wist dat ik hem die dag niets gebracht had: zonder dat ik kon vermoeden, net zomin als de anderen, dat hij deze keer de martelaar van de dag zou worden – hij, de verslaafde, hij, de geniale kapper die alleen maar mensen wilde knippen die hem aanstonden omdat hij niet voor het geld werkte, mijn oom, maar voor de kunst!

Terwijl het al het eind van de middag was en de buren iedereen op onze binnenplaats hadden laten weten: 'Let op, de patrouille heeft vandaag gewaarschuwd dat de avondklok is vervroegd naar zes uur, er is al bijna niemand meer op straat, de mannen keren haastig naar huis terug, vanwege het gevaar!' – stormt Tchaida bij ons binnen, kijkt ons die in een kring om hem heen zijn gaan staan allemaal aan en roept vol gloed, met tranen in zijn ogen uit: 'O, mensen van mijn bloed, o jullie, familieleden, mijn zeer dierbaren, ik kom jullie om vergeving vragen!'

Iedereen is verbaasd en denkt: hij is aan zijn dosis toe!

Iemand, een klein meisje meen ik, maakt hem erop opmerkzaam dat zijn oude moeder met verbonden ogen ligt te rusten, dat...

Hij luistert echter naar niemand, Tchaida. Hij gaat door met afscheid nemen: 'Willen jullie me vergeven! Hierna zullen jullie me niet meer terugzien! Vanavond... vanavond of nooit, zeg me dat jullie me vergeven!'

Hoewel allen zich ergeren, is mijn moeder de enige die bereid is het geduld, of het mededogen, op te brengen om vriendelijk tegen hem te zeggen: 'Wat is er met je aan de hand, beste broer? Keer in vrede naar huis terug! Straks gaat de avondklok in!'

En mijn grootmoeder, wier ogen geheel bedekt zijn met beschermend verband vanwege de zeer zware operatie van de dag ervoor, roept jammerend: 'O Halima, breng die gek tot bedaren! Maak je broer duidelijk dat ik hem toch niet kan zien! Dat de dokters me op het hart hebben gedrukt: "U mag vooral niet huilen! Anders mislukt de operatie en wordt u blind!" Zeg hem vooral duidelijk, o Halima, dochter van me, zeg je broer dat ik hem toch niet kan zien! Laat hij naar huis terugkeren...'

Maar de oom zet zijn zeer luide reeks smeekbeden nog luider voort, zodat hij zelfs de aandacht trekt van buren op hun terrassen: 'O jullie, godsdienstige mensen, en familie van me, schenk me vergiffenis! O leden van mijn familie en van mijn stam, zeg me, o lieve moeder, o lieve zuster, dat jullie me vergeven! Vergeef me dat ik zo zwaar gezondigd en mijn leven verknoeid heb, terwijl ik zo veel van jullie hield!'

Zijn gejammer overstemt de jammerklacht van zijn moeder die haar oudste zoon voor gek uitmaakt, die niet ophoudt ook zichzelf te beklagen, en mijn moeder die steeds weer zegt: 'Denk aan de avondklok, het is al zo'n vijf, tien minuten na zessen! Pas op!'

Ze loopt enkele stappen met hem mee naar de vestibule, maar hij gaat snel naar buiten, intussen zijn klaagzang voortzettend tot in de Blauwstraat.

Deze keer richt hij zich met zijn hartbrekende stem tot mensen uit de straat ('O beste buren, trouwe gelovigen, vergeef me!'); nu roept hij de hele wijk aan, denkt mijn moeder die ongerust weer naar ons toe komt, 'De avondklok is vandaag vervroegd naar zes uur', mompelt ze opnieuw, als voor zichzelf, wanneer ik plotseling, als eerste, buiten twee keer het bevel 'Halt! Halt!' hoor.

Ik ren naar het raam; ik hoor een mitrailleursalvo. Mijn moeder geeft een gil en ik schreeuw op mijn beurt: 'Het is mijn oom! Ze hebben op hem geschoten! Hij is gewond!'

Ik kan hem door het raam zien: hij staat rechtop, met zijn handen naar achteren houdt hij de onderkant van zijn rug vast. Hij heeft zijn ogen ten hemel geslagen en zet zijn klaagzang voort: 'Mensen van mijn wijk, ik vraag jullie...'

Er komen twee militairen bij hem: een officier en de zoeaaf die heeft geschoten. Tchaida ligt nu echter op de grond, op zijn rug, met een been opgetrokken en een hand die over het plaveisel schraapt: hij lijkt nog iets te zeggen, zijn lippen bewegen, hij vraagt iedereen, de hele aarde hem te vergeven. Achter mij schreeuwt mijn moeder, roept haar broer, vervolgens zakt ze in elkaar terwijl ze snikt: 'O moeder, ze hebben mijn broer vermoord!'

Mijn grootmoeder is midden op de binnenplaats overeind gekomen, ze heeft het begrepen: ze rukt de verbanden voor haar ogen weg. Nee, ze huilt niet: ze wil van nu af aan blind zijn! Dat zal ze nog tien jaar zijn, tot haar laatste uur gekomen is.

Wat mij aangaat, nog voor de begrafenis lees ik de volgende dag gretig de krant: daarin staat zwart op wit geschreven dat ze in het hartje van de Kashba een terrorist doodgeschoten hebben. 'De man was gewapend...'

Tot mijn twaalfde heb ik vast geloofd dat alles wat geschreven stond heilig was!

Aan het eind van mijn verhaal gekomen, draaide ik me om naar vriend Rachid, ik die geen kind en ook geen jongeman meer ben, ik, een al rijpe man, op mijn beurt naar Frankrijk geëmigreerd en teruggekeerd, bijna even arm als mijn oom Tchaida.

'Snap je, Rachid, Tchaida was voor mij als kind de held bij uitstek, een ongelukkige en kwetsbare held. Door zijn helderziendheid op het laatste moment beschouw ik hem van alle mensen in mijn Kashba als de enige onschuldige – hij is geen politieke held, ook niet als nationalist: nee, hij is in zekere zin de volmaakte held, hij die van tevoren afscheid van ons kwam nemen!'

DEEL TWEE

Liefde, schrijven

Een maand later

'Noch maan, noch zon, noch sterren
hebben mij licht gebracht maar de nacht
en het licht van de liefde in mijn binnenste
zijn stralen doorschenen mijn lichaam.'
GUNNAR EKELÖF

De bezoekster

I

Ze zit tegenover me, de bezoekster. Driss, die ons aan elkaar heeft voorgesteld, is vertrokken: 'Ik wil niet in het drukke verkeer op de snelweg terug naar Algiers!' had hij zich verontschuldigd.

Toen hij de villa verliet wilde ik met hem meelopen en naar boven naar mijn woning gaan. Nadjia zei met een stem die ik aangenaam vond klinken, een altstem en in een Frans in een wat traag tempo: 'U bent Berkane, is het niet... Mag ik u Berkane noemen?'

'Ja, natuurlijk!'

'Houd me nog even gezelschap, als ik u niet te veel vraag!'

Ik ging weer zitten, zonder iets te zeggen. Ik keek hoe ze in deze woonkamer heen en weer liep. 'Niet langer dan tot ik een rondje door het huis heb gemaakt', mompelde ze. Ze betrad het andere vertrek, waar Driss haar koffer had neergezet.

Ik keek heel even om naar de zee. Het raam, heel groot, keek uit op een buitenterras, wat de aantrekkelijkheid van deze woning uitmaakte, de verdieping onder die waar ik mijn intrek had genomen.

Vroeger, toen de familie nog bij elkaar was, de eerste jaren van de onafhankelijkheid, bracht het hele stel familieleden van moederskant hier 's zomers de weekenden door en op het terras op deze verdieping waar mijn moeder en mijn zusters huisden, verzamelden zich voor de middagmaaltijd soms wel zo'n twintig of meer personen. Verscheidene parasols beschermden ons dan tegen de blikken van de zomergasten die zich voor hele dagen op het zand installeerden.

Nadjia, die ik niet terug had horen komen, zei zacht en vlak bij me: 'Dit huis brengt u waarschijnlijk de zomers van uw jonge jaren weer in herinnering, is het niet?'

'Inderdaad... Ik ben in '70 vertrokken, ruim twintig jaar geleden!'

Ik stond op, keerde het terras, de zee de rug toe; ik ging aan het andere eind van de kamer zitten.

'De inrichting van deze woonkamer is dezelfde gebleven,' deelde ik mee, 'behalve dat indertijd mijn vader en mijn moeder nog leefden!'

Nadjia ging tegenover me zitten.

'Ik weet wat het is', merkte ze met een dromerige stem op. 'Dat is het moeilijkste wanneer je vertrekt... Zeker, mijn ouders leven allebei nog (ze zuchtte), maar bij mij is het mijn grootmoeder die in Tlemcen woonde die, toen ze vier, vijf jaar geleden overleed en ik terugkwam, is zij het die, omdat zij echt een moeder voor me was, een grote leegte bij me heeft achtergelaten...'

Ik bleef stil zitten. Zij stond opnieuw op: ik besteedde geen aandacht meer aan wat ze deed. Even later kwam ze aanzetten met een dienblad met glazen en porseleinen koffiekoppen.

Ze bukte zich, glimlachte tegen me. Hoewel ik nergens om gevraagd had, bediende ze me, bediende vervolgens zichzelf en ging weer zitten: hete koffie, een glas mineraalwater, wat koekjes op een bord... Of ze had hier al eens verblijf gehouden, of ze was hier al eerder met Driss geweest (plotseling een vleugje twijfel in mijn binnenste), want het leek net of ze eigenlijk alleen maar een vaste gewoonte voortzette.

Ze had koffie en een glas water neergezet. De koffie was gloeiend heet, ik dronk hem met kleine slokjes.

We zeiden geen van beiden iets. Ze keek me aan. Ik dacht: ik moet opstaan, zij is niet bij mij maar bij Driss te gast. Bovendien was dit de verdieping van mijn broer. Ik hoefde maar naar boven te lopen en ik was in mijn woning. Ik bleef zitten waar ik zat.

Opeens nam ze het woord, en daarbij was er iets wat mijn

bevreemding wekte: in haar stem klonk duidelijk een ingehouden heftigheid door, als van iemand die te lang zijn mond gehouden had, een geheim bewaard had, zijn verbittering of zijn verdriet opgekropt had. Ik weet het niet, ik kreeg de tijd niet het te doorgronden. Ze had maar een paar woorden hoeven zeggen en aangezien mijn stilzwijgen twijfel scheen uit te drukken, herhaalde ze die nog eens met dezelfde beteugelde kracht: 'Ik ben al jaren uit dit land weg', begon ze. 'Elke keer dat ik ernaar terug moet, vanwege de familie of vanwege dringende zakelijke aangelegenheden (haar vingers maakten een zenuwachtige beweging), voel ik steeds weer zoiets als woede in mij...!'

Ik keek haar aandachtig aan: ik wachtte af.

'Nu ik deze keer in Algiers ben, dankzij de vriendelijkheid van uw broer (die me altijd geholpen heeft, we waren studiegenoten), dacht ik: wanneer ik kan slapen en wakker worden vlak bij de zee, vertrek ik straks tenminste weer ontspannen!'

Ze hield een tweede keer op met praten; vervolgde: 'Ik zeg u dit omdat ik me zou willen verontschuldigen... Ik heb u waarschijnlijk gestoord in uw alleen zijn!'

Ik mompelde snel iets van nee. Overbodig, dacht ik, mijn eigen sores ter sprake te brengen. Ik vroeg nogal recht op de vrouw af: 'U had het over woede. Waar komt die woede vandaan?'

Ik, wist ik nog, ik was indertijd vertrokken gewoon omdat ik weg wilde! Om eens ergens anders rond te kijken!

Daarop zei ze snel, met een beweging van haar bovenlichaam: 'Ik wil u wel mijn levensgeschiedenis vertellen... die van mijn grootvader...'

Haar woorden bleven in de lucht hangen, flarden van zinnen, een pingpongbal die maar niet wilde vallen. Ze zei het nog eens: niet echt zo dat er felheid uit sprak maar eerder ongeduld. Ik hoorde mezelf snel antwoorden: 'Vertel hem gerust, je levensgeschiedenis, maar in het Arabisch!'

Want in mijn dialect spreekt men elkaar met je aan, niet uit genegenheid, ook niet omdat je elkaar goed kent; men spreekt elkaar met je aan: dat is alles! Een taal die dicht bij de mensen staat, om zo te zeggen, zonder plichtplegingen.

Terwijl ik aandachtig naar haar luisterde, drong gaandeweg tot me door dat ze in mijn bijzijn een oude en diepe wond opnieuw openreet in de hoop dat die daarna eindelijk voorgoed dicht zou gaan.

2

'Grootvader', stak ze in het Arabisch van wal, 'noemde ik Baba Sidi, zo noemde mijn vader hem ook altijd: ik zie hem, zelfs nu, zo weer voor me, op de foto achter glas in onze woonkamer (een kleinere afdruk heb ik op mijn reizen altijd bij me), ik zie die elegante veertiger zo weer voor me: een man met donker haar, niet zo lang, het gezicht van een bewoner van het Middellandse-Zeegebied, gladgeschoren, een heel kortgeknipt, smal snorretje op zijn bovenlip en een vleugje van een glimlach. Hij draagt een kostuum van Engelse snit (hij had, zo leek het, door middel van zijn pakken en wat zijn auto's betreft besloten zichzelf een Engels aanzien te geven). Jazeker, als groothandelaar in tabak die het vrij snel gemaakt had, veroorloofde hij, de Arabier wiens clientèle zowel uit Europeanen als joden en moslims bestond, zich de weelderigste luxe: reizen naar Turkije of Italië, daarbij nog Parijs en, om de andere zomer, een kuur in Vichy (een bezoek aan de heilige plaatsen in Mekka was echter nooit in zijn programma voorgekomen). Door de rol te spelen die hij zelf had gekozen, door zijn niet te ontkennen zakelijk succes, waarvan hij een kleine groep joodse en Arabische musici liet meeprofiteren, hoopte hij in Oran als een gentleman te worden beschouwd. Hij sprak, zo werd me verteld, onberispelijk Frans, hij die alleen maar lagere school had gehad, maar die boeken en nog eens boeken kocht en die op zowel politieke tijdschriften als paardensportbladen geabonneerd was.

Je merkt het, Berkane; ik maak het niet mooier dan het is: ik beschrijf je mijn grootvader zoals hij werkelijk was! Geen toneelfiguur, een bourgeois en een snob, beslist, een losbol, misschien, maar zo'n type man kon in de tijd van koloniaal Algerije uiteindelijk alleen maar bestaan in Oran, die centraal gelegen grote stad, even Spaans als Frans of Afrikaans! Dat ik je zo over Baba Sidi vertel, komt natuurlijk doordat mijn grootmoeder, Lla Rekia, een zeer godsdienstige moslima, een verfijnde en traditionele burgervrouw, die geen woord Frans kende maar wel vloeiend Spaans sprak en het zuiverste Arabisch, met de tongval van Tlemcen of Fez (kies maar uit), ondanks haar van de buitenwereld afgezonderde leven over een hele gemeenschap vrouwen heerste – zij, de liefdevolle echtgenote van haar man – en die tientallen jaren na diens gewelddadige dood de herinnering aan hem bij mij levend hield.

Mijn grootouders kregen twee kinderen: de eerste, een dochter, stierf als heel jonge bruid ten gevolge van een tyfusepidemie; mijn grootmoeder, geschokt door dit verlies, richtte voortaan haar volle aandacht op de als enige overgebleven jongen, Habib, mijn vader dus, die op zijn veertiende of hij wilde of niet van school werd gehaald: Baba Sidi nam zijn opleiding tot zakenman liever zelf ter hand.

Toen Habib negentien werd liet men hem heel traditioneel trouwen met een meisje uit hetzelfde milieu: ze was eveneens negentien en had tot haar twaalfde op de Franse school gezeten.

Het huwelijk van mijn ouders, Habib en Anissa, vond plaats begin '54. Wie maakte zich in die tijd, in Oran, zelfs toen het in datzelfde jaar al november was, zorgen over wat men vrij gauw "de gebeurtenissen" zou noemen? Maar toen begin oktober '57 de dood voor mijn ogen toesloeg, was dat meer dan een drama! Ik ga er nog steeds onder gebukt. Tot die dag verliep het leven aangenaam, vrolijk en rustig in het grote huis van Baba Sidi, omringd door bougainvilles, in de Tuinenstraat, in een van de drukste wijken van Oran, bij burgerfamilies het meest in trek.'

Nadjia stond op, ging een karaf water halen, schonk zichzelf in, schonk zonder iets te vragen mij in, in gedachten nog geheel bij haar lange monoloog. Ze keek me aan, bijna alsof ze me nu pas voor het eerst zag, en glimlachte heel even tegen me: 'Mijn inleiding is te lang. Ze zeggen dat het in het theater het beste is meteen terzake te komen, midden in de handeling te vallen, abrupt de afloop te onthullen, met geschreeuw of waanzin om het verdriet tot uiting te brengen. Misschien, maar ik ben niet bezig je de nieuwste film te vertellen, nee: het verhaal over mijn familie, over Baba Sidi en zijn vrouw, mijn grootmoeder, is mijn levensverhaal, waar ik ook heen ga – en ik ben veel onderweg, met opzet misschien, en ik woon al heel lang niet meer in Oran, misschien eveneens met opzet...' (Ze mijmerde.) 'Ongeluk sleep je soms mee naar het andere eind van de wereld!

De tijd scheen stil te staan, voor die noodlottige dag in de herfst van '57; ik zou een lang verhaal kunnen houden over mijn kindertijd, maar ook over het echtpaar Baba Sidi–Lla Rekia, dat dagelijks in het teken stond van muziek en reizen, en gasten, een ontspannen, gastvrij leven: kortom geluk... Misschien zou ik je dat moeten vertellen!

Maar wanneer ik er zo veel over praat, komt dat doordat het het enige geluk is dat ik gekend heb – een geluk dat me door mijn grootmoeder werd beschreven en waar ze met weemoed aan terugdacht, zij bij wie ik dag en nacht op schoot zat, die me kleedde, die me mee uitnam, in haar wollen of zijden sluiers, al naar gelang het jaargetijde. Ik zou zelfs kunnen zeggen dat dit kindergeluk, dat dat voor mij nu vooral de geur van mijn grootmoeder is' – de stem van Nadjia wordt onvast, zachter voegt ze eraan toe: 'Althans wanneer ze niet huilde, want naarmate ik groter werd vertelde ze steeds minder over de tijd voor de door haar betreurde "noodlottige dag"! Elke ochtend wanneer ze na haar gebed "Baba Sidek", "jouw Baba Sidi", ter sprake bracht, begon ze weer te huilen, liet ze lange tijd zwijgend haar tranen vloeien!

Maar ik werd groter en terug uit school vertelde ik haar: over mijn juf, mijn Franse en Arabische vriendinnetjes, mijn succesjes. Met nog vochtige ogen glimlachte ze tegen me en zuchtte: "Mijn koningin, mijn prinses!", ze lachte met me mee en luisterde naar mijn verhalen: Mma Rekia was mateloos trots op me. Vervolgens kwamen haar herinneringen plotseling in opstand, mompelde ze: "Baba Sidek", "jouw Baba Sidi", en begon ze weer te huilen, zelfs jaren later'!

'Deze hele omweg', ging Nadjia verder, 'om bij die ene dag te komen: de dag waarop mijn grootvader Larbi door het FLN werd vermoord, om precies te zijn op 10 oktober 1957...'

Kort daarna kwam een einde aan de strijd om Algiers, herinnerde ik me. Ik was net elf jaar; het was mijn voorlaatste jaar op de lagere school.

'Hoe oud was je toen?' vroeg ik Nadjia.

'Ik was pas twee jaar en een paar maanden! Het klinkt misschien niet erg waarschijnlijk, maar het is me gelukt die rampzalige dag volledig te reconstrueren... Ik zeg opzettelijk "reconstrueren", want het was mijn eerste traumatische ervaring. Na die schok kreeg ik de tijd om laag op laag te stapelen, de talloze betrekkingen uit te pluizen, die van mijn vader, die van een heleboel vrouwen. Vrouwen die tot de familie van de Hadj Brahims, zoals we in Oran genoemd worden, behoorden...'

Ze blies even uit, de vertelster: 'Vanaf '55, vertelde mijn grootmoeder me, verleende Baba Sidi financiële steun aan de nationalisten: met een vanzelfsprekend gevoel van groepsverbondenheid, maar ook met een zekere distantie. De verzoeken om financiële bijdragen werden het jaar daarop talrijker, en voor steeds hogere bedragen. Baba Sidi kwam ertegen in verzet: "Wat willen jullie? Dat ik alleen nog maar voor jullie werk, terwijl de feesten, de bruiloften in de drie gemeenschappen maar doorgaan en in een steeds groter aantal. Proberen jullie soms me, door zo ver te gaan, te ruïneren?"

En het was waar, het steeds maar meer geld vragen behoorde, zo leek het wel, tot een strategie bedoeld om te provoceren. Voor de bewoners van Oran gingen de feesten, de avondjes gewoon door. De geesten moesten wakker geschud worden en om dat te bereiken richtte men zich op degenen die er economisch het best voorstonden.

Want Baba Sidi had verzuimd voorzorgsmaatregelen te nemen: zich te wenden tot iemand die bij de ondergrondse nationalisten hoger op de ladder stond; mensen die nog rijker waren dan hij hadden een beter rekensommetje weten te maken!

In feite had de groothandelaar in tabak nooit belangstelling voor politiek gehad. De avonden bracht hij door met muzikanten, die hij demonstratief van geld voor hun levensonderhoud voorzag: hij weigerde zijn gewoonten van grote mijnheer op te geven.

Mma Rekia vertelde me dat de eerste donderdag van oktober '57, toen Baba Sidi vroeger sloot en naar huis terugkeerde, de man die gewoonlijk om geld kwam bedelen hem bij de voordeur stond op te wachten.

Hij liet hem binnen en vroeg hem plaats te nemen op de binnenplaats die naar de binnentuin voerde. Mijn grootmoeder stond ongerust achter de blinden van een van de ramen en sloeg het tafereel gade. Ze zag de bezoeker alleen maar van achteren; deze zat, en haar man stond.

Ze hoorde Baba Sidi met een vuurrood gezicht uitroepen: "*Bi Allah*! Waar wil je dat ik zo'n bedrag vandaan haal? En de tijd van de feesten is nog maar net begonnen!"

Daarop hoorde ze de man die ze alleen maar van achteren zag heel zacht praten en uit de toon maakte ze op dat hij inmiddels op bedreigingen was overgegaan...

"Ik nam meteen mijn besluit!" zei ze later tegen me. "Binnen een paar minuten knoopte ik een wollen doek om mijn hoofd, liep ik naar mijn ladenkast. Ik haalde er mijn eigen juwelenkist uit (je grootvader gaf me elk jaar waardevolle cadeaus). Ik stortte bijna alles op een hoop op een zilveren dienblad en liep zo, met mijn armen vol geladen, naar buiten naar hen toe.

De man die sprak draaide zich verrast om. Ik keurde hem nauwelijks een blik waardig, ik richtte me alleen maar tot mijn man en zei op besliste toon: 'Sidi,' zei ik tegen hem, 'ik begrijp dat je niet genoeg hebt om het Front te helpen (in het Arabisch heette het *el djebha*). Nou goed, in jouw plaats stel ik al mijn juwelen ter beschikking! Neem ze allemaal, ze zijn heus heel waardevol!' Daarop draaide ik me om naar de onbekende, die vrij jong was en de ogen neersloeg.

Mijn man wilde me een standje geven omdat ik me zo aan een vreemde had vertoond! Deze vertrok trouwens zonder ook maar te groeten. Ik herinner me gezegd te hebben, met voor me op dat blad de juwelen die de ander niet wilde: 'Geef ze hun, geef ze hun allemaal, zonder te marchanderen, o Sidi! Als jij maar in leven blijft!'

Hij zei niets, liet me weer naar mijn kamer gaan en terwijl ik mijn juwelen opborg, besefte ik dat zijn zwijgen betekende dat hij werkelijk bedreigd was!"

Mijn grootmoeder kon het zich nog precies herinneren, het was begin oktober '57.

De zondag daarop hoorde het jongste dienstmeisje dat in huis woonde vrij laat de klopper op de deur slaan. De hele familie zat bij elkaar aan de avondmaaltijd op de tweede binnenplaats, naast de jasmijnstruik en de laurierbomen die hun heerlijke geur verspreidden.

Touma haastte zich naar de deur, maar omdat het al zo laat was wilde ze noch opendoen noch iemand van de familie waarschuwen.

"Wie is daar?" vroeg ze met angst om het hart.

Ze hoorde de stem van een bedelaar. Een oude man, meende ze, die de gelovigen in naam van God en zijn Profeet om een aalmoes vroeg.

Vreemd, dacht ze, normaal gesproken verschijnen bedelaars, en vooral degenen die in naam van de islamitische naastenliefde een aalmoes komen vragen, 's morgens of vlak na het middaggebed bij burgers aan de deur!

Opeens bang geworden antwoordde Touma de onbekende door te doen of ze de vrouw des huizes was; ze bootste haar manier van praten na en gebruikte de vaste formules: "O schepsel van God, vertrouw op God! Het is te laat om je open te doen. Kom morgen terug, maar 's ochtends. God is met je!"

De bedelaar had zijn klaagzang kunnen voortzetten, maar zijn stem viel meteen stil.

Hij drong niet verder aan! stelde Touma verbaasd vast, en het jonge meisje werd nog wantrouwiger.

Toch durfde ze er die avond met niemand over te praten.

De volgende ochtend heel vroeg maakte Baba Sidi zich op om, net als altijd, als eerste het huis te verlaten. Zijn zoon Habib haastte zich echter omdat hij met hem mee wilde: 's maandags is altijd een drukke dag... Mijn vader vertelde me het vervolg van het verhaal: "Ik liep het huis uit en trof, herinner ik me, naast de voordeur, in een hoekje, maar duidelijk zichtbaar, de slof van een bedelaar aan die daar lag. Eentje maar? dacht ik en ik gaf er een zachte schop tegen. Ik overwoog: één enkele slof, en waarom ligt die daar? Ik trok mijn voet meteen terug: eronder zat iets van een vlek, het was eerder een rood plasje. Bloed? vroeg ik me ontsteld af."

Toen mijn vader dat vertelde, zei hij nog: "Bloed?", daarna hield hij op met praten, daarna...'

Nadjia staat op; alsof alles daar ophield.

Het is vele dagen later, maar ik schrijf inmiddels, ik reconstrueer, ik denk weer aan Nadjia, aan haar stem die haar herinneringen deed herleven: ik eigen me haar in het Arabisch vertelde verhaal, haar stroom herinneringen toe, probeer er greep op te krijgen en leg alles schriftelijk vast in het Frans, aan mijn tafel, terwijl... zolang ze sprak, bleven we op de benedenverdieping: Nadjia kwam niet in mijn woning. Ik schrijf, ja: ik ben de klerk, een eenzaam klerkje.

Bloed? vroeg Habib, de zoon, zich af; en het was opeens alsof hij geen stem meer had.

In het hele huis zijn de vrouwen druk in de weer, vanaf de in dit jaargetijde altijd in het donker gehulde en naar jasmijn geurende vestibule. Helemaal daarginds, aan het eind van de smalle binnenplaats, met trossen paarsachtige blauweregen, rond de zuilen met een kabelmotief van rood marmer gegroeid en weelderig tot de bovenverdieping omhooggeklommen, vrouwen – jonge en oude – en kleine meisjes die naar buiten, naar de Georges Lapierre-school (een Franse school natuurlijk) gaan en weer thuiskomen, zij allen, moeders met hun dochtertjes, de onzichtbaren, af en toe dromerig stilzittend of druk bezig of soezend, allen, de een na de ander, vertellen, zachtjes of opeens opgewonden, de vreemde, verbazingwekkende woorden van Habib, de enige zoon, aan elkaar door, hij, de erfgenaam van zijn vader, de 'jonge hoop voor onze toekomst', zoals zijn moeder Lla Rekia hem af en toe noemt: 'Zijn woorden, welke woorden? Wat bedoelt u?'

'Zijn woorden naar aanleiding van die slof, eentje maar en door iemand kwijtgeraakt, naar het schijnt, de slof van een bedelaar die gisteren heel laat aan de deur kwam – zoals Touma zich herinnert...'

'Die slof lag daar zomaar en Habib zei...'

'Wat zei onze prins?'

'Habib gaf een schop tegen de slof: "Wat ligt daar nou?" mompelde hij, toen...

Toen zag hij die vlek, een rood plasje: "Bloed? Opgedroogd bloed?" riep hij uit.'

En even later was Habib opeens zijn stem kwijt...

'Zijn stem', gaat een andere vrouw in één adem door.

De echo van Habibs stem: 'Bloed?'

'Hij had opeens geen stem meer', zucht een derde vrouw die tot de familie behoort, en plotseling staat het huis open, je kunt zo de straat op...

Want ze zijn allemaal naar de wijd openstaande deur gesneld.

De voordeur van het huis van de Hadj Brahims, in de Tuinenstraat.

Die vroege ochtend van 10 oktober 1957, Tuinenstraat, Oran, Algerije.

Het is nog geen acht uur wanneer Habib, sinds drie jaar getrouwd en vader van een dochtertje van twee jaar en een paar maanden, naast zijn vader loopt die zich haast.

Een lange straat, daarna een brede weg met platanen erlangs. Terwijl Baba Sidi zich voorthaast, praat hij met zijn zoon die hem eerbiedig aanhoort bij het ter sprake brengen van de klanten die die ochtend zullen komen. Habib heeft het beter gevonden zijn vader niets te zeggen over de slof die hij had aangetroffen.

Er naderde een jongeman met het voorkomen van een boer, maar met een alerte blik. Hij bereikt hen, blijft staan, spreekt de vader aan, die nietsvermoedend eveneens halt houdt. Habib pakt zijn vader bij de arm.

'Larbi Hadj Brahim?' vraagt de onbekende, die zijn arm uitsteekt, maar verborgen onder de wol van zijn toga.

Baba Sidi aarzelt, wil antwoorden: 'In naam van God, wat wil je van me?' Habib hoort alleen de eerste woorden van het vaderlijke antwoord: '*Bi... Allah.*'

Er klinkt een salvo, nog een. Larbi is in zijn volle lengte voorover, op zijn buik gevallen, met zijn armen gespreid. En terwijl het bloed uit de wonden stroomt, werpt Habib zich met een vertwijfelde beweging op het lichaam van zijn vader dat daar ligt en schreeuwt, brult: 'Lieve vader! O lieve vader!'

Krampachtig het hele lichaam van de dodelijk gewonde betastend, besmeurt hij zich eveneens met bloed, zijn gezicht, zijn borst, zijn armen, alles, hij bespat, overgiet zich ermee, tot hij helemaal onder zit: '*Abba...! O Abba!*'

De massaal toegesnelde mensen op straat proberen het brullende en bebloede lichaam van Habib los te trekken, ze tillen hem op, ze voeren hem weg zodat men eindelijk het nog warme stoffelijk overschot van Larbi Hadj Brahim, het slachtoffer, kan bedekken en weg kan brengen.

Habib blijft schreeuwen: '*Abba...! O Abba*! Lieve vader!' en hij wil niet dat men probeert het bloed af te vegen van degene die zojuist nog tegen hem sprak, het bloed van de stem die hij nog steeds hoort. De getuigen raken in gevecht met de zoon, de jongeman van tweeëntwintig die men wil overmeesteren.

'Hij zag het bloed van zijn vader...!'

'Hij zit onder het bloed van Hadj Brahim!'

'Hij wil niet dat ze hem schoonwassen!'

Het gesnik van Habib, het geschreeuw van mijn vader die men tegen zijn wil probeert bij het stoffelijk overschot van zijn vader weg te halen.

Dan verschijnt Lla Rekia ineens op straat: daarginds, bij het huis waarvan de voordeur wijd openstaat, is een bedelares de vrouwen in kennis komen stellen: Lla Rekia, met een paarse muts en een lange satijnen jurk. De sluier is ze vergeten, die sacrosancte lap stof van wol, of zijde, de *haik*, het overkleed, de hoofdbedekking, voor het eerst sinds haar puberteit is de echtgenote van Larbi, de moeder van Habib 'naakt' de deur uit gegaan, alleen haar muts met glanzende franjes bedekt haar gevlochten haar. Ze rende, ze schreeuwde eveneens, ze leek meteen wel een straatzwerfster, een losgebroken furie: en pas bij haar geheel ontdane, bebloede zoon aangekomen houdt ze halt.

Andere getuigen, vrienden van haar man proberen haar tot bedaren te brengen, ondanks haar uitzinnige geschreeuw: 'Ga terug naar huis, Lla Rekia!'

'Dit is niet fatsoenlijk! De wil van de Allerhoogste!'

Mma Rekia schreeuwt, tiert, ze is als een tijgerin, niemand mag haar aanraken, niemand is in staat haar tot zwijgen te brengen, ze staat bij haar zoon, ze zoekt wie, wat, ze schreeuwt en het klinkt als het gehuil van een roofdier waar niemand iets van begrijpt!

'Si Larbi... het is te laat, de ziekenauto heeft hem al meegenomen!'

'Zijn stoffelijk overschot, helaas, hij is dood, Mma Rekia! Laten we op God, op zijn barmhartigheid vertrouwen!'

Het kostte een, twee uur om de zoon en de echtgenote tot bedaren te brengen. Lla Rekia zonder haar sluier en met haar muts van paarse moiré nu eens in de ene, dan weer in de andere hand... Moeder en zoon, buiten zichzelf van verdriet, dat tweetal.

Ik zag ze aankomen, ik, dochtertje van twee, niet ver van ons huis! Ik, op mijn hurken op de stoep, ik hoor tegelijkertijd het lawaai van geschreeuw en van stemmen door elkaar, die van de buren rond Mma Rekia en Habib, mijn vader, ik zie ze terugkeren, dat totaal verslagen tweetal, ze komen dichterbij, ze zien me niet, maar ik kan mijn ogen niet van ze afhouden, mijn blikken verslinden ze, ik hoor ze, ik hoor de geluiden nog steeds, duidelijk, tientallen jaren na die dag in oktober, in Oran.

De vader van mijn vader, groothandelaar in tabak in Oran, die dag vermoord door het FLN: mijn vader Habib en zijn moeder, Lla Rekia, de een vastgeklampt aan de ander, ik weet niet meer wie wie vasthield – ik meen dat het zo was dat mijn grootmoeder, die nog steeds schreeuwde, met een arm vooruit haar zoon overeind hield die voor haar liep en die anders neergevallen zou zijn... Ja, ik zie ze allebei, ik zie ze wankelen. Ik wacht ze op: hun tocht naar me toe lijkt opeens eindeloos lang te duren, ze lopen langzaam en zonder rustpauze, als op een hooggelegen weg in de hel. Ik zeg 'hel' want ik zie mijn vader en zijn bloed, of eerder het bloed van Baba Sidi op de wangen en de neus, op het voorhoofd van mijn vader... Ja, ze komen naar me toe, schommelend, onvast op hun benen, maar ze komen naderbij: er zal bij hen op aangedrongen worden naar binnen te gaan, zich te wassen, zich te reinigen, en ik die ze nog nooit zo gezien heeft, ik weet dan al – maar op een onbestemde manier – dat ze nooit meer dezelfden zullen zijn!

Zij, de oude vrouw (pas hierna werd ze oud), hij, de jongeman, mijn vader: de een en de ander, de een één met de ander, ik geloof dat ze die dag allebei waanzinnig zijn geworden... Ze zijn nooit meer helemaal de oude geworden. Mensen die zo dicht bij me stonden, voorgoed kapot, om er nooit meer bovenop te komen: vanwege het bloed dat hen bevlekt had!

Ik, dochtertje van twee, ik bleef op m'n hurken zitten, uitgerekend naast de plek waar de slof van de oude bedelaar had gelegen. Op m'n hurken wacht ik op hen, kijk ik hoe ze naderbij komen; ik weet dat ik waarschijnlijk nu al in hun verdriet deel. Dat ik straks als het ware voorgoed de gevangene zal worden van dat onpeilbare verdriet dat ons verenigt! Nee, niet voorgoed! Nee, na die dag waarop Baba Sidi op zo bloedige wijze de dood vond, reis ik de hele wereld af en besluit ik overal er verder niet meer aan te denken.

3

Nadjia was opgehouden met praten: een in mijn bijzijn gehouden alleenspraak, bijna alsof ik stiekem naar haar geluisterd had. Al of niet als gevolg van mijn zwijgen, ben ik geheel uit haar gedachten verdwenen. Ze is weer het meisje van twee geworden.

Twee; nu is ze bijna veertig: een volwassen vrouw, toch is er iets wat haar nooit heeft losgelaten, maar wat? Is het dat zeer dramatische voorval zelf of is het het voortdurende verdriet van haar grootmoeder, dat ze naar elk ballingsoord meenam?

Toen ze klaar was met vertellen, schonk ze zichzelf te drinken in, liep ze langs het grote raam heen en weer, op de benedenverdieping waar ik nog niet opnieuw was geweest voor zij er haar intrek had genomen, 'voor niet langer dan twee, drie dagen', had ze bij haar aankomst gezegd, toen Driss, mijn broer, me aan haar had voorgesteld.

Vervolgens stelde ik haar ter afleiding voor: 'Mijn auto staat nog niet in de garage: als je wilt kunnen we ergens heen rijden om de rest van de avond door te brengen!'

'Bedankt', zei ze. 'Ik voel me prettig hier, samen met jou! Ik vind het leuker om wat te praten, en niet alleen over het verleden!'

Ze lachte, een lach die haar heel jong maakte. Lukte het haar plotseling haar herinneringen aan de vroegere gebeurtenissen van zich af te zetten: de moord op de grootvader alsmede de geestverwarring van de zoon, dat hele drama? In mijn bijzijn raakte Nadjia in een opgewekter stemming: alsof er een last van haar afviel, wat niet per se haar verdriet hoefde te zijn.

Ik bestudeerde vol aandacht haar naar mij toegewende gezicht: glad, ogen met een heldere blik en een spottend lachje.

Wat me zeer trof: ik zag de trekken weer levendig worden, een gezicht zonder sporen van lijden, terwijl ze enkele minuten daarvoor nog als een kind van hevig verdriet blijk had gegeven.

In een flits joeg het verlangen naar haar door me heen. Ik denk dat ze het wel doorhad, want ik koos er deze keer bewust voor haar met het 'je' van ons gemeenschappelijke dialect aan te spreken bij de uitnodiging: 'Kom, als je dat leuk vindt, mee naar mijn woning, op de verdieping hierboven: dat praat gemakkelijker: ik heb er iets te drinken, ik heb er iets te eten!'

Ze glimlachte tegen me, ging me zwijgend voor op de stenen trap die de beide verdiepingen aan de buitenkant verbond. Ze rilde van de kou in de koele avondlucht buiten.

Eenmaal in mijn woning sloeg ik, nadat ik haar een van mijn jasjes had gebracht om haar te bedekken, spontaan mijn armen om haar heen: ze stak me haar lippen toe.

Na even later, in bed, de liefde te hebben bedreven, gaat ze poedelnaakt en rustig zitten. Ze duikt opnieuw in het verleden: verspreide herinneringen, vrolijk en bijna allemaal met betrekking tot de Franse school.

Ik bekijk haar even aandachtig als dat ik naar haar luister: rond, weelderig gevormd, naakt en met een donkergetinte huid. De vreugde van het genot hangt nog om ons heen, de bekoorlijkheid van haar schouders, haar heupen, haar om haar knieën geslagen armen (alsof ze in badpak gehurkt tegenover me op het strand zat) geeft me nog steeds voldoening, en toch richt mijn aandacht zich geleidelijk uitsluitend op haar gezicht, dat deels buiten de lichtkring van de lamp valt: haar zware wenkbrauwen die een volmaakte boog vormen, haar wat gezwollen oogleden, vaak neergeslagen, haar vlezige lippen die af en toe opeens tot stilstand komen.

Met een afwezige blik staart ze in de verte, daarna vertelt ze verder, waarbij haar gezicht door een zorgeloos opgewekte glimlach opnieuw verandert.

Ja, ik bekijk haar aandachtig, en even aandachtig luister ik naar haar – vanaf het begin in haar dialect kleine verschillen opmerkend, de betekenis radend van enkele weinig voorkomende woorden die ik vergeten was; ik word vooral getroffen door haar heel bijzondere tongval, alsof ze tegelijkertijd dicht bij me en ver van me af staat.

Om me heen hangt de geur van haar viooltjesparfum, fris, niet te omschrijven: die geur zal voor mij heel lang met haar verbonden blijven. Daarop vraagt ze me vrij zacht: 'Mag ik je iets zeggen?'

'Natuurlijk, Nadjia.'

'Mijn dialect stoort je niet? Mijn moeder is Marokkaanse, ik spreek zoals ze in Oran doen, maar ook een beetje zoals mijn moeder!'

'Ik praat tegen jou in het Algerijns dat ik in de Kashba spreek!' zeg ik rustig.

Ze lacht, vervolgens bekent ze me blij en opgelucht: 'Dat heb ik al heel lang niet meer gedaan, tijdens het bedrijven van de liefde en...' (ze aarzelt) 'en erna Arabisch spreken!'

Ik wilde haar zeggen dat nu bij mij de dwangmatige behoefte haar aan te raken, haar te betasten voorbij was, ik graag bereid was naar haar te luisteren en stil te blijven liggen, ook in het donker, juist in het donker... Maar ik hoefde niets te zeggen.

Ze kwam weer bij me liggen, drukte zich tegen me aan. Ik zou op dat moment niet onder woorden hebben kunnen brengen wat me het gevoel gaf dat ik wel eens aan haar gehecht kon raken of in ieder geval dat ze mijn rust langdurig zou verstoren.

Ze zuchtte: 'Ik ben bij jou nog niet helemaal aan mijn trekken gekomen!'

Deze eenvoudige woorden, samen met haar smachtende stem, deze bijna onstuimig hartstochtelijke bekentenis, die terwijl ze hem deed klonk als een zucht, riep opnieuw mijn verlangen wakker: naar haar huid, naar haar gehijg en, nog sterker, naar haar woorden.

Ik nam wild bezit van haar, zonder verdere omhaal: ik geloof deze keer zonder liefkozingen. Zij onderwierp zich, gaf geconfronteerd met mijn ruwe optreden toe aan mijn verlangens, meegaand, geluidloos ook, op een zacht en langdurig gekreun tegen het eind na.

Waarschijnlijk viel ik meteen, ik weet niet voor hoe lang, in slaap. Vaag hoorde ik hoe ze uit bed opstond, ongetwijfeld op haar tenen vertrok: ik geloof dat ik wegzonk in een als gewoonlijk tumultueuze en chaotische droom die ik al vaker had gehad.

Toen ik wakker werd duurde het een paar minuten voor ik weer besefte dat ik echt in mijn eigen land, 'thuis', sliep, dat het echt waar was dat ik aan de andere kant van de ramen het zwellende en weer afnemende ruisen van de golven hoorde, dat... De Arabische woorden en de zuchten van Nadjia de avond ervoor deden al het andere verdwijnen.

In het naastgelegen vertrek rinkelde de telefoon. Ik stond niet op om te horen wie er belde: uit Parijs of uit Algiers, het kon me niet schelen! Ik merkte dat mijn lichaam, tot voor kort heel lang kuis gebleven, doodmoe was.

De uren die volgden, die oktoberochtend, zwom ik lui een beetje rond, de zee was lauwwarm; daarna maakte ik de vis klaar die Rachid me gebracht had.

Schrijven, dacht ik.

Ik schoof met mijn hand de niet verstuurde brieven aan Marise opzij.

Schrijven, voor mezelf, besloot ik en lange tijd werden mijn gedachten in beslag genomen door de stem van de bezoekster van de vorige avond. Ik dacht: om die te omschrijven, om die in de stilte van deze kamer opnieuw te horen – deze kamer waarin vannacht luid haar gehijg weerklonk!

Eindelijk schrijven, maar alleen voor mezelf!

4

Een nacht,

nog een nacht,

een derde nacht met Nadjia, voor die laatste hebben we mijn slaapkamer niet verlaten, we woonden als het ware in mijn bed.

Vervolgens moest ze, tussen twee nachten in, even weg – 'dringende zaken die ik in Algiers te regelen heb!' had ze zuchtend gezegd. Ik hoorde haar de auto starten, wegrijden richting hoofdstad, 'alleen vandaag overdag, om wat zaken af te handelen, ik kom meteen terug!' had ze beloofd, in het Frans deze keer – in de vestibule stak ze me haar lippen toe, drukte ze zich tegen me aan, rechtop, half gekleed of voor ze zich opnieuw helemaal aankleedde, beloofde ze, zacht, in bijna liefkozende Arabische woorden, (*Ya habibi*! zei ze om ze kracht bij te zetten), beloofde ze dat ze voor donker terug zou zijn en meteen naar mij toe zou komen, voor nog een nacht, 'precies zoals deze' en vlak bij mijn oor voegde ze eraan toe – opeens ben ik haar lieve woorden vergeten, maar niet wat ze ermee bedoelde, niet haar ademhaling, niet haar parfum vermengd met de geur van onze lakens, en misschien mijn zweetgeur, die vergeet ik niet, en de geur van mijn sperma op haar lichaam, ik wilde haar voor ze wegging per se nog een keer helemaal besnuffelen, zij, staande in de gang, ik, haar tegen de muur drukkend, zij haar adem inhoudend, terwijl ze me haar van hoofd tot voeten laat likken, waarbij ze met haar vingers in mijn haar klauwt, met mijn hoofd al tegen haar buik, haar heupen, en zij haar rok optilt, ik hoor haar boven me zuchten, kreunen, een langgerekt gegrom, het begin van een schor zingen, en deze twee woorden, *ya habibi…! ya habibi…!* ik, die met mijn gezicht tegen haar lendenen bijna geen adem meer krijg, ik draai haar om, draai haar nog eens om, ze zucht opnieuw, twee keer, nog steeds tegen de muur leunend, mijn gezicht, mijn gulzige mond, die dorst heeft, en die honger heeft, ik ga met mijn tong over haar hele lichaam heen, ik drink alle holten en spleten van deze vrouw leeg, en nog eens, en nog eens, om ervoor te zorgen dat ze terugkomt, en ze kwam terug, de volgende avond, ze klopte twee, drie keer op het hout van de voordeur, ze had de bel niet gezien, ik had de auto al horen stoppen voor de poort beneden, ik had geen vin verroerd – haar belofte van die ochtend, in de gang, die liet me niet meer los, ik wachtte, ik was niet helemaal zeker: bleef ik al de tijd dat ze naar de bank was, bij Driss was om haar zaken te regelen, op het reisbureau voor haar vliegticket, tegen haar aangedrukt staan, bleef ik haar huid voelen en me tussen haar benen dringen, hoe dan ook, ik wachtte al die tijd – ze opende de voordeur na geklopt, of eerder drie keer aan het hout gekrabd te hebben, ze zette een paar stappen in dezelfde gang, ik sloeg mijn armen om haar heen, sloot haar erin op, ik liet haar weer de slaapkamer binnen: mijn gaste, mijn bezoekster, mijn geliefde, 'mijn koningin', zoals Lla Rekia het noemde.

De hele dag had ik mijn bed alleen maar verlaten om naar mijn tafel te gaan – schrijven, kop koffie na kop koffie, verder schrijven, me vereenzelvigen met de stem van Nadjia en met de herinnering aan haar genot, vooral de warmte van haar dialect op me laten inwerken, dat bijzondere liefdesgefluister van mijn bezoekster, maar waar zat hem het geheim, hoe kreeg ik de deur open, hoe vond ik een uitweg? Ik ging de hele dag het huis niet uit, het enige was dat ik bij het raam ging staan om langdurig naar de zee in de verte te kijken, de zee met haar vertrouwde geruis, ik ging haastig naar beneden, als een dief in mijn eigen huis, toen Rachid belde, me op een tinnen schaal vis kwam brengen, merkte dat ik niet in de stemming was om te praten, ook geen tijd wilde verdoen, hoe had ik hem moeten vertellen dat ik, vanwege al die woorden die ik opgeschreven of me weer te binnen gebracht had, mijn eigen stem was kwijtgeraakt, dat er opeens twee talen in me door elkaar liepen, die ik niet meer uit elkaar kon houden, een warboel, hoe had ik hem helderheid kunnen verschaffen over die knoop in mijn binnenste – en die intense herinnering aan het zinnelijk genot?

De net gevangen kleine ponen in mijn hand roken lekker. Ik glimlachte tegen hem als blijk van dank, wees op mijn keel, alsof ik wilde aangeven een heuse keelontsteking te hebben opgelopen. Hij zou zich ongetwijfeld ongerust over me maken: ik legde vriendschappelijk een hand op zijn schouder, beduidde hem dat ik in een zieke was veranderd die zijn stem kwijt was en dat ik mijn bed weer ging opzoeken. Ik deed haastig de deur voor zijn neus dicht. Ik dacht niet langer aan Rachid.

Ze klopte zacht op de deur. Ik deed open, omhelsde haar in de hal.

'Ik stond al op je te wachten', fluisterde ik in het Frans.

Ze keek heel vrolijk terwijl ik haar hoofd in mijn handen nam. Ik kleedde haar uit: alsof ze weer een klein meisje geworden was en de schim van haar grootmoeder daar in onze slaapkamer een oogje in het zeil hield...

Voor ze weer de vrouw werd waarover ik mocht beschikken, raakte ze, naakt, rechtop, achteloos heel even de losse velletjes papier aan die ik volgeschreven had en die op het tafeltje vlakbij een slordig stapeltje vormden. Zonder iets te zeggen glimlachte ze tegen me. Vroeg niets over wat ik daar zo had zitten schrijven. Ik zou haar nooit hebben durven zeggen dat dat stel blaadjes, dat ik die morgen misschien zou weggooien zonder ze herlezen te hebben – vol, ondanks de Franse woorden die ik gebruikt had, vol van haar stem van de dag ervoor, van de nacht die we beleefd hadden, die we gingen beleven. Zij, in mijn armen, koud en warm, weldra kronkelend van genot. Gelukkig, dacht ik in een flits, gelukkig de musici die, dankzij hun subtielere geheugen, in staat zijn niets verloren te laten gaan van de klanken van gedeeld genot, vooral gedeeld, een verward samengaan bij de eenwording... De geluiden van het volle leven, dat zich mogelijk vervlecht met dat van anderen, maar toch doorgaat.

Ik keerde na deze korte mijmering (misschien ooit met haar, met welke andere vrouw behalve zij, wat woorden en gevoelens betreft een symbiose aangaan, tegelijkertijd samen hetzelfde denken, huid tegen huid, is dat een utopie?) met heel mijn aandacht naar Nadjia terug. Op dit moment, o geliefde, voel ik me een vorst, voel ik me een koning, in het genotvolle bezit van een harem waarin jij alom heerst, want ik merk, op het moment dat je blote hand even mijn tafel aanraakt, terwijl je ontklede lichaam dat in kalme afwachting verkeert zich aandachtig laat bekijken, juist omdat het in afwachting verkeert, ik merk dat ik een woesteling ben zonder met alle geweld te willen verkrachten, een zeerover zonder per se te willen ontvoeren, ik ben jou tegen het lijf gelopen, gisteren of eergisteren, het doet er niet toe, je kwam aanzetten zonder erbij na te denken, want je was al vanaf die dag toen je twee was aan het rennen, om van het bloed, van het stoffelijk overschot van je grootvader, van de waanzin van je vader weg te vluchten, alsmede van de tranen en de liefde van de vrouw die jou altijd 'haar koningin' noemde en hier word je mijn koningin, voorgoed de mijne, zij heeft de fakkel aan me doorgegeven...

'*Habibi*!' fluister je, naakt en op bed tegen me aan gekropen.

Het is een woord dat alleen jij gebruikt om je liefde uit te drukken en dat je almaar herhaalt.

Ik, ik heb alleen maar mijn twee handen, ik breng ze eerst naar je ogen, en nog eens, en nog eens, om de boog van je wenkbrauwen eens goed te bekijken, je slaat je oogleden neer, dat is goed, dan kan ik er een kus op drukken, ik volg met een vinger de smalle streep van je beide lippen, daarna word ik veeleisender, gaat mijn verlangen uit naar je borsten, die ik met de volle hand omvat, ik wil ze laten huiveren, om een woeste begeerte bij je te wekken, misschien zonder dat er van liefde sprake is – liefde die onontbeerlijk zal zijn wanneer je aanstaande vertrek eenmaal een feit is, helaas!

Ik zou langzaam je begeerte willen wekken, al heb ik de tijd niet meer om je goed te leren kennen, om na te gaan hoe ik je het best genot kan verschaffen, ik ben onbekend met je lichaam en we hebben alleen deze nacht nog maar, de voorlaatste, want de laatste zal anders zijn, geheel in beslag worden genomen, geheel en al in beslag worden genomen door woorden, nieuwe woorden, woorden die gestand moeten worden gedaan, ik wil je zo goed mogelijk leren kennen: als morgendauw, als een middagstorm, als een avondonweer, ik wil je lichaam leren kennen waar het gaat om zijn zenuwen, zijn liefde, zijn zachtheid, ik wil weten wat zijn huiver wekt of ook wat het afwijst, ik heb, wij hebben niet genoeg tijd meer, die hele dag die jij in Algiers verknoeid hebt, in straten die anderen toebehoren, in de stoffige buitenlucht en te midden van gluurders... wat hadden we die goed kunnen gebruiken. Of het nu langzaam of snel gebeurt, ik wil de jouwe zijn, Nadjia, met het vertrouwen iets van de eeuwigheid gewaar te worden dat niet volledige bevrediging hoeft te zijn maar ook niet alleen maar een kronkelig randje laat zien. Ik merk dat ik hoge eisen stel, nu je teruggekeerd bent en we nog wat tijd hebben: niet slapen, vooral niet slapen! Je leren kennen tot ik erbij neerval, ik kan alle herinneringen gebruiken, nu ik je gevonden, nee, teruggevonden heb, lief zusje, ik ben je tegengekomen net toen je wilde vertrekken, je bent een voorbijgangster, je zult mijn spookbeeld worden, waar gaan we naartoe, wanneer gaan we...

Wie zei dat het bedrijven van de liefde van twee lichamen als de onze wel eens een langdurig karwei kon worden, wie zei dat een vrouw op wie je na één liefdesnacht verliefd wordt, maar dat bleef nog open, pas tussen de eerste en de tweede nacht werd ik de slaaf van zowel haar lichaam als haar stem, en van haar zinnelijk genot en van haar borsten die ik elk met een hand omvatte, wie zal zeggen dat ze niet langer een voorbijgangster is, dat ze mijn echtgenote mijn kind mijn tweelingzuster wordt? Die tweede nacht werd een lange, heel lange reis, een snelle jacht door de nachtelijke ruimte, een tocht waar maar geen eind aan kwam, we reden samen te paard over vreemde bergen en door vreemde dalen, door voor ons allebei onbekende streken, een onvergetelijk Oosten waar de duisternis voortduurde en een reeks opkomende zonnen in het Westen, een reis en een achtervolging, met nu eens gekreun, samentrekkingen van spieren en het uitstoten van klanken, tempoversnellingen die vocht deden vloeien, niet onbeheerst, eerder slepend, af en toe heftig. Geen geluid ontgaat me, ik weet zeker dat ook jij luistert, één keer hoor ik je aansluitend jammeren: 'Je kwelt me, je doet me pijn!' Ik wist dat deze Arabische woorden, in het vuur van de strijd uitgesproken, alleen maar zinnelijkheid uitdrukten, net toen ik mijn mond in de jouwe opende – mijn verlangen het achterste van je verhemelte te voelen, en al je tanden, tot je bijna geen adem meer krijgt, ja, zo diep mogelijk in je mond terwijl ik je geheime grot binnendring, en ik me erin wentel en keer, er nog dieper in doordring, en ik je knijp, je zenuwen prikkel, je een vol, een rijk gevoel geef, je vochtig maak, althans voorzover ik, in jou, daartoe in staat ben, ik hoor je diep vanuit je binnenste jammeren, de laatste en merkwaardigerwijs eerste klank die wellust uitdrukt, aandoenlijk zonder dat er emotie in doorklinkt...

'Je doet me pijn! Je...'

Dat zijn in het Arabisch geen scherpe woorden maar woorden die zinderen van liefde, heftige woorden, die duiden op een innigheid die diepe emoties, hartstocht verraadt. Ik doe je pijn, o ja, ik week niet, ik hield niet op. Er zat plotseling een woesteling in mij: open je ogen, kijk naar mijn gezicht, zie mijn blik, niet een die wreedheid uitdrukt maar de koppige wil heel dicht bij je te zijn, tot onder je huid, om in je verborgen binnenste een spoor van mezelf, een merkteken achter te laten, wrede zuster van me, alle met helderheid gevoelde wellust is een vorm van chirurgie, daarom 'doe ik je pijn', ik hoor je jammerklacht, die haalt ook mij open, laat die zucht gerust nog eens horen, die niet een gevolg is van pijn of angst, maar een verzoek inhoudt waar steeds weer om gevraagd wordt, als was het een onvermoeibaar bidden, ingaand tegen jezelf, tegen het jezelf verliezen, tegen mijn onafgebroken liefdevolle optreden, onwillekeurig raken we op drift, stuurloos ronddrijvend, een heleboel obstakels nog net ontwijkend, maar samen, in een ongerepte verlatenheid, 'ik doe je pijn', en jij die mij kapotmaakt, dat voel ik al aankomen, later, veel later zal ik het me allemaal weer herinneren, kijk me aan, o jij die zo dicht bij me staat, in feite zitten liefde en zingenot, allebei even eigenzinnig, elkaar in de weg... Was dat niet zo, hoe leerden we onszelf ooit innerlijk kennen?

Onze gezichten nu los van elkaar, ik, mijn handen die haar knijpen, overal, mijn benen die haar heupen en haar onder mijn buik opgetrokken knieën omklemmen. Dicht tegen elkaar, verstrengeld, los, mijn vingers verkennen nogmaals al haar gewrichten, mijn ogen opnieuw vlak bij haar ogen, ik begin weer, als was er sprake van pijn, angst, foltering: 'Doet het zeer? Ja, dat moet, de tijd die ons is toegemeten zit er bijna op! Dit zorgt ervoor dat je me niet zo gauw zult vergeten!'

Met haar hoofd tussen mijn handen schudt ze van nee, haar lange haren vallen voor haar ogen, maar ik wil ook haar blik zien, zien of die iets van verwarring of hardheid, of uitsluitend op het eigen belang gericht juist niets van gevoelens verraadt, ik wil...

Soepeler dan ik maakt Nadjia zich los. Gaat schrijlings op me zitten, ik laat haar begaan.

'Nu moet je mij aan jou onderwerpen! Ik ben je gevangene', en ik voeg er, ik weet niet waarom, maar precies met het accent van het dialect van mijn moeder, aan toe: 'O lieve zuster (*ya khti*!).'

Waren het deze laatste twee woorden, ongetwijfeld een beetje anders dan zoals zij ze uitspreekt, die bij haar een hele spraakwaterval in gang zetten, een fraai staaltje van woordkunst, voor de vuist weg, en vooral van opgewektheid getuigend?

Boven mij een naakte amazone, met de armen in de lucht, die smachtend een aantal lange versregels ten beste geeft, vluchtige woorden, die me toch niet onberoerd laten. Ik weet niet precies wat ze betekenen, ze spreekt heel snel en heel opgewekt, maar ik begrijp dat het de woorden zijn van een lang liefdeslied dat bekendheid geniet in Oran, ze scandeert het couplet na couplet, met haar trillende stem die afwisselend van hoog naar laag gaat en omgekeerd, ze doet iemand na – maar wie? – op het ritme waarmee ze mij, mijn gezicht, mijn buik, mijn geslacht liefkoost.

Ten slotte bekent ze, met een kinderlijk lachje, dat de zanger die het lied voorheen populair maakte – 'al doet het nu niemand meer iets', geeft ze geamuseerd toe – tijdens drinkgelagen de metgezel van haar vader was! Want het kostte hem, mijn vader, nog aardig wat tijd om bijna de hele erfenis erdoor te jagen!' Ze zwijgt, ze is even met haar gedachten elders. 'Om tijdens zulke avonden, met wat poëzie erbij, het hele drama te vergeten!'

Waarschijnlijk hebben we allebei liggen doezelen, dan gaat ze in bed zitten, maar tegen mij aan, en haalt, voor zichzelf, voor mij deze herinnering op: 'Dat lied is onverbrekelijk verbonden met de hele periode dat ik een kind en een jong meisje was: heb ik het sindsdien nog ooit geneuried? Ja, een keer, aan het andere eind van de wereld, in India geloof ik, of in Egypte, ik weet het niet meer: mijn kindertijd, mijn hele familie, vooral mijn grootmoeder, alles was opeens weer heel dichtbij en ik moest huilen!'

Ze verstijft, strijkt met haar vingers langs mijn belangstellende gezicht, langs mijn lippen. Ze glimlacht tegen me en zegt: 'Zou jij dat Arabische gedicht voor me hebben gezongen toen ik zeventien was – vlak voor ik mijn stad ontvluchtte – dan zou ik je nooit meer in de steek gelaten hebben: ik zou vertrokken zijn, beslist, maar met jou!' Ze fluisterde als voor zichzelf: 'Dan zou ik nu nog bij je zijn!'

Zwijgend sloot ik haar opnieuw in mijn armen. Ik vond haar opeens allerliefst, en heel anders.

'Wat vind ik die mooi,' fluisterde ik in haar oor, 'die lange dichtregels die de liefde bezingen', en ik had er nog de wens aan willen toevoegen: 'Jij, altijd in mijn armen!'

Maar ze onderbrak me, bijna afkeurend, en vermoeid, met: 'Laten we stil zijn! Woorden, wat brengen die ons verder?'

Het was een nogal onverwachte opmerking, en deze keer in het Frans. Haar donkere ogen lachten, ik zag de gloed erin en toen waren er alleen nog maar haar handen die naar mijn gezicht toe gingen, erlangs streken, en haar schouders, al haar rondingen, opnieuw was daar de volkomenheid van haar naakte lichaam, en de schaamteloosheid van haar trage, omzichtige, zwemmende bewegingen, als die van een danseres uit vroeger tijd, en we werden weer één... Zij wil graag de schipper zijn op het bootje van onze verlangens, mijn teerbeminde, en we varen terug over de stroom van sombere stiltes! Het vloeibare rijk van mijn geliefde!

Niemand zal ontkennen dat liefde zolang zij duurt steeds rijker wordt, maar waardoor: door woorden, natuurlijk, die echter nooit opgeschreven worden... Zij vond oude woorden, uit andere tijden, van onze vergeten gemeenschappelijke voorouders en zij bood me ze aan, die woorden, een voor een, bij elke versregel die ze voordroeg, bij elke nieuwe opwelling van onze zinnelijkheid: het was alsof haar ook mij onbekende taal plotseling via een lange en bochtige route een weg naar buiten gevonden had. Onze beide lichamen, in ingewikkelde houdingen of als spiegelbeelden tegenover elkaar, trokken, soepel en toch bewegingloos, door een reusachtig bos dat werd verlicht door maanstralen.

Ons beider ademhaling; tot we moe werden, uitgeput raakten, die lange nacht die ons alle kanten op gooide zonder ons te scheiden. Ik weet niet wie van ons beiden het eerst in slaap viel of het langst sliep: beide lichamen (en ik heb het over dat stel parallel aan ons, onze dubbelgangers, onze na-apers) bleven dicht bij elkaar, zozeer, merkte ik, dat het eerste wat mijn vingers deden toen ik vlak voor het aanbreken van de dag wakker werd en mijn vermoeide ogen de kamer rondkeken zonder die te herkennen, was dat ze werktuiglijk de buik en de heupen streelden van Nadjia die tegen me aan lag, de lijn van haar rug volgden, toen die van een van haar borsten; op dat moment helemaal wakker geworden, dacht ik echt – tenzij alles zinsbedrog was – dat mijn dromen van die nacht over stormachtige liefdestaferelen, dat mijn dromen zo wellustig waren geweest dat er, als sijpelend water, beslist iets van in het onderbewustzijn van mijn geliefde, die nog niet helemaal wakker was, binnengedrongen moest zijn.

Zinsbedrog? Niet eens. Einde van deze rijke nacht, vol liefkozingen, vol ontboezemingen ook, want wat mijn aandeel betreft was het me gelukt voor haar – die ik midden onder het liefdesspel 'mijn zuster' '*ya khti*!' had genoemd – alles weer boven te halen, te doen herleven wat ik van plan was geweest over mijn leven als jongeman in de Kashba uit de weg te gaan, te ontkennen?

Nee!

Ik beloofde haar dat ik de volgende nacht, de laatste, op mijn beurt zou vertellen, naar mezelf op zoek zou gaan, mijn hart zou uitstorten.

Vlak voor het aanbreken van de dag kreeg ik opeens trek; de hele voorafgaande dag had ik niets gegeten.

'Ik had poon klaargemaakt. In een olie- en azijnsaus, net als ansjovis...'

'Wat is er nog meer?'

'Paprikasalade, geloof ik.'

'Brood, ik heb zin in brood en olijfolie!'

We liepen het halfdonker in. Omdat we ons niet wilden aankleden, tastten we in het donker rond. Ik vond brood voor haar.

'Na de liefde krijg ik altijd opeens erge trek in brood.'(Ze lacht.) 'In feite is het een verlangen naar de koeken die mijn grootmoeder voor me maakte. Op sommige markten in volksbuurten zijn ze, ook in Algiers, nog wel te vinden.'

Ze mijmerde en met haar blote voeten op mijn knieën verslond ze haar snee brood, belegd met een poon en wat olijven zonder pit, en zette ze al etend haar verhaal voort: 'Wat het dichtst in de buurt van de koeken van mijn grootmoeder komt, zijn de *nans* die je in Indiase restaurants krijgt. Mocht ik je een keer vragen me mee uit eten te nemen naar een Indiaas restaurant, dan weet je dat ik heimwee heb gekregen, dan telt er niets anders meer voor me!'

'Heimwee naar je kindertijd met je grootmoeder of een terugverlangen naar de liefde die je zo hongerig maakt?'

Ze gaf geen antwoord. Ik vond het een leuke onderbreking. Die de illusie bij me wekte dat we, allebei, nog een heel leven voor ons hadden... Ik zweeg echter; en voelde me bedroefd worden.

Winterdagboek

I

Onze laatste dag samen... Onze woorden, gesprekken, opmerkingen, onthullingen blijven me door het hoofd spoken, en af en toe herinnerden we ons, elkaar aankijkend, dingen alsof we ieder alleen waren, maar scherper, waarbij ons weer bijzonderheden, voorvalletjes te binnen schoten waarvan ieder afzonderlijk misschien gemeend had dat ze voorgoed vergeten waren: alsof de blik en dat afwachtende van de ander, de ander van de tweeling, je een ongeschonden geheel terugbezorgden in de vorm van een reeks onuitwisbare beelden.

Ik had Nadjia de ochtend van de laatste dag voorgesteld vlak voor het huis te gaan zwemmen, maar zwijgend, slechts door middel van een hoofdschudden, gaf ze te kennen daar geen zin in te hebben. Opeens begon ik haar over mijn Kashba te vertellen: de staat van verval waarin ik hem een paar dagen eerder had aangetroffen: 'Ik ben teruggekeerd met het idee hier nieuwe krachten te zullen opdoen: ik wilde eindelijk schrijven, niet uit liefhebberij maar als vaste bezigheid... o zeker, ik heb me mijn terugkeer veel te rooskleurig voorgesteld: weer in een oud Arabisch huis wonen, eenvoudig en zonder comfort, maar met terras. In de verte de zee, en de geluiden van vrouwen, kinderen op de naburige binnenplaatsen!'

Nadjia barstte in een zacht, bijna spottend gelach uit: 'Dan had je net zo goed in de medina van Tanger kunnen gaan wonen! Met een minder weids uitzicht dan dat in de baai van Algiers, maar met dezelfde geluiden... Een paar Engelsen om je heen die het exotischer hadden verwacht... Eigenlijk een leven zoals in de vorige eeuw!'

'Doet er niet toe', antwoordde ik. 'Ik zit hier goed, in dit dorp aan zee.'

Iets later op de dag zei ze zacht tegen me – zij, opnieuw in mijn armen: 'Je zit maar op een uur afstand van de hoofdstad... Je leeft als een kluizenaar, als in een woestijn. Heb je wel door dat vlak bij je in de buurt het land een vulkaan is geworden: godsdienstfanaten, of beter gezegd nieuwe barbaren stoken onrust, beheersen het openbare leven, brengen jonge werklozen in beweging en vooral, bovenal, hebben de nieuwe media in handen... Weet je, ik heb het gevoel dat ze de verkiezingen nog gaan winnen ook!'

Ze aaide over mijn voorhoofd, fluisterde, me al liefkozend: 'Dat is het moment dat jij hebt gekozen om terug te keren, om het rustige Parijs te verlaten!'

Ik zie ons een paar minuten later tegenover elkaar staan, elk aan een kant van de tafel in de woonkamer. Nadjia vervolgde: 'Ze gaan winnen!' En met haar bovenlichaam over de tafel gebogen ging ze met dezelfde zachte stem, alsof ze iets dringends te vertellen had, verder: 'Ik zeg het je nog eens, de dwazen gaan de teugels in handen nemen... en, geef me nu antwoord, omdat ik met een gerust hart wil vertrekken: jullie leiders, wat gaan die doen, hoe gaan die de klap opvangen?'

Ik rechtte mijn rug; ik keek heel even naar de zee. Dat schattige, zo begeerlijke vrouwtje stond daar tegen me te praten alsof het een studentendemonstratie was!

'Allereerst', wierp ik tegen, 'zijn het niet "mijn" leiders: de militairen en de smerissen niet, ook de anderen niet, of ze nu een pak dragen of een djellaba... Beoordeel ze, mevrouw, liever op wat ze zeggen. Ze noemen zich al tientallen jaren "bestuurders".'

Ik glimlachte bitter: 'Ik ben er bij het horen van dat taaltje nooit achter gekomen of dit woord hier met de onafhankelijkheid populair is geworden; het begrip "bestuurder" kwam uit het

Arabisch (*el Mes'oul*) en was vervolgens in het Frans vertaald... het misbruik van de term is een gevolg van het verkeerde Frans, want de vertaling van *el Mes'oul* zou moeten luiden 'degene aan wie vragen worden gesteld', wat een dialoog veronderstelt, een spreken over en weer, wat betekent dat die *mes'oul* geacht wordt een vragensteller antwoord te geven, te zeggen, natuurlijk, wat hij weet... maar niet beslissingen te nemen, en vooral niet namens anderen.

Als politieke taal schiet het Frans bij ons dus tekort en dat duurt binnen onze leidende klasse al ruim dertig jaar! Al die potentaatjes die zich voortdurend in een Parijse spiegel bekijken of in de spiegel van Franse politici. Behalve dat die laatsten, gewiekster dan zij, zich schijnbaar bescheidener uitdrukken: zij beschouwen zich als "verkozenen" en dat zijn ze, ondanks alles! Hier, Nadjia, maak je helaas af en toe mee dat de politiek leider – een vroegere verzetsman of een terdoodveroordeelde, of een regelrechte held (in zijn jonge jaren drie maanden of drie jaar van dapper optreden) – vervolgens tientallen jaren lang nietszeggende woorden kakelt, wat denk ik net zo'n teken van verval is als de verwaarlozing van de vroeger zo mooie huizen in mijn arme Kashba!'

Nadjia had aandachtig naar me geluisterd. Ze stond op, voerde opnieuw geduldig argumenten aan, en haar koppigheid verbaasde me: 'Maar de anderen, van de andere kant, de fanatici, is je de verbetenheid van hun woorden, de haat die uit hun schelden spreekt dan niet opgevallen? Hun Arabisch, ik die literair Arabisch heb gestudeerd, het gebruik ervan door dichters, ten tijde van de *Nahda*, in hedendaagse romans, ik die verscheidene dialecten spreek die voorkomen in landen in het Midden-Oosten waar ik geweest ben, ik herken het Arabisch van hier niet eens. Het is een verkrampte, ontregelde taal die bij mij de indruk wekt uit de koers te zijn geraakt! Dit spreken heeft niets meer te maken met de taal van mijn grootmoeder, met haar lieve woordjes, ook niet met de liefde zoals die werd bezongen door Hasni El Blaoui, vroeger in Oran een bekende zanger. De taal van onze vrouwen is een taal waar liefde en hartstocht uit spreekt, wanneer ze smachten en zelfs wanneer ze bidden: het is een taal om gezongen te worden, met veel woorden die een dubbele betekenis hebben, naar de ironische en naar de bitterzoete kant.' Ze glimlacht, brengt haar gezicht vlak bij het mijne, drukt het tegen het mijne en zegt heel zacht: 'Zoals je heel goed weet, *ya habibi*, is er ook dat Arabisch dat de seksualiteit betreft, bijna kuis, steeds op het randje, vol zinspelingen, maar dat alle beloften inlost...'

Opeens rechtop, schreeuwde ze midden in de kamer: 'Wat voor taaltje spreken ze, die lui? Zeg het me! Wat roepen ze...?'

Ze had in mijn keuken een Algerijnse soep voor me klaargemaakt, die geurde naar de koriander, alleen maar om haar kookkunsten te vertonen, om me te bewijzen dat ze een goede kokkin was. Ze liet me hem proeven, ik had te kennen gegeven dat ik van gekruid hield: dat was hij, maar ik had niet echt honger meer.

Nadjia had alles doen losbarsten alsof ze in één keer midden onder een storm de luiken had geopend en de onstuimige wind alles ondersteboven had geblazen: de voorwerpen, de verlangens, tot onze opwinding toe. Ik stond er zelfs niet eens bij stil dat de tijd voorbijvloog, dat we allebei andere dringende dingen te doen hadden, dat... Ze bracht nieuwe zaken ter sprake, alsof ze inderdaad de ramen nog wilde laten openstaan terwijl het buiten noodweer was. Met een gezicht alsof ze wilde zeggen: 'Onder deze omstandigheden laat ik je achter! Kijk, maar kijk dan toch!'

Ze begon weer rustiger te praten, al bleef haar bezorgdheid zichtbaar: 'Ik heb de afgelopen tijd in Algiers vaak taxi's genomen, zoals altijd trouwens', zei ze. 'Vroeger sprak ik graag met de chauffeurs: veel zijn al vrij oud, je hoeft ze maar een vraag te stellen en ze vertellen meteen hoeveel kinderen ze hebben, welke er studeren, hoe hun dochters zich met succes in nieuwe beroepen hebben bekwaamd! Die gesprekken waren een genoegen voor me, ook al ging het allemaal snel, in Oran, in Algiers! Nu,' (ze zuchtte), 'ik weet dat er een verkiezingscampagne aankomt, en wel omdat veel van die chauffeurs zodra je instapt een cassette aanzetten. En niet met Egyptische liederen, niet met de laatste raï-hits, o nee, het is de scherpe aanval van een islamitische voorman die door de auto schalt! Je laat merken dat je geen belangstelling hebt voor die woordenvloed, maar de bestuurder laat je trots weten dat de toespraak de dag ervoor in Constantine, in Batna of in Blida is opgenomen! Hij verduidelijkt: "Voor tweeduizend, voor vijfduizend toehoorders, in een stadion!" Nog erger dan de voetbalwedstrijden toen ik nog een meisje was!'

Ze vertelt maar, Nadjia: ze is op dreef, ik vergeet bijna haar woede of haar ingehouden drift. Naar haar luisteren ontspant me: 'Meestal', gaat ze verder, 'grijp ik, zodra ik tot me heb laten doordringen dat ik voor die luide scheldpartij ook nog moet betalen, meteen in met: "Zet dat lawaai onmiddellijk af!" Sommige chauffeurs doen dat; maar niet allemaal. Een van hen zette zijn taxi zelfs op de boulevard stil en zei vijandig: "Stap jij maar uit!" Als ik Frans had gesproken, had hij me voor een toeriste gehouden en was hij misschien beleefder geweest! Ik ben uitgestapt en, tweede fout, betaalde hem ongaarne het volle bedrag, want uiteindelijk moest ik daarna nog vijf minuten lopen... Weet je wat hij tegen me zei toen hij me het wisselgeld teruggaf en me met uitpuilende ogen bekeek? Waarschijnlijk had mijn decolleteetje hem geschokt!'

De vertelster deed het voorval na en ik wachtte geamuseerd tot ze haar verhaal zou vervolgen.

'"Over een maand zullen alle vrouwen hier fatsoenlijk gekleed gaan!"

"We zullen zien", antwoordde ik scherp om te laten merken dat ik me niet liet imponeren. "Weet u, de vrouwen mogen net zo goed stemmen als de mannen!"'

Ze keek me aan met haar gedachten nog bij het voorval op straat. Ze haalde haar schouders op.

'Wanneer ik zeg "decolleté", is dat omdat ik vooroverboog en hij de basis van mijn hals en een centimeter huid had gezien, wat lager, waarschijnlijk! Hij had me al binnen een maand van top tot teen in een zwarte chador willen zien lopen...'

Later diezelfde dag dook ik zomaar opeens in een veel verder verleden: 'Ik zou je graag vertellen, Nadjia, over hoe er in januari '62 – een halfjaar voor de onafhankelijkheid – in het kamp waar ik gevangenzat (ik was bijna zestien) een nieuwe bij ons kwam. Een dertiger, hij vertelde niet uit welke stad hij afkomstig was. Hij vertelde niet wat hij doorstaan had toen hij gearresteerd was. In het begin keek hij zwijgend toe hoe ons leven dagelijks z'n gangetje ging. Ten slotte toonde hij zich er verbaasd over dat er in onze cel met tweehonderd gevangenen (ik was samen met een ander de jongste) 's avonds geen politieke discussies werden gehouden. Allereerst dat woord "politiek". We keken elkaar aan, ieder van ons wist waarom hij daar zat, wat hij buiten gedaan had en wat hij niet gedaan had... Maar "politiek"? Dat was een duister begrip, daar stonden wij buiten. En waarom discussiëren? We probeerden de tijd zo goed mogelijk door te komen: sommigen rookten, anderen deden een kaartspelletje, weer anderen... "Discussiëren?" We keken elkaar aan: eigenlijk was het al een *mes'oul*, maar hij leek gematigd, hij hield zich gedeisd. Hij verbaasde zich over het om zo te zeggen elementaire niveau van onze betrokkenheid. Hij legde uit wat hij bedoelde: we zouden verstandiger zijn als we al eens onze gedachten lieten gaan over hierna... Hierna? Ja, de tijd hierna!

"En waarom dan dat discussiëren?" zei er een. "Hierna, nou, hierna verwachten we vrijgelaten te worden. We zouden graag willen weten wanneer, de familie iets van ons laten horen!"

Een ander voegde eraan toe: "Hierna? Nou, dan zijn we onafhankelijk. We wachten allemaal op de onafhankelijkheid! Wanneer komt die er, weet jij misschien iets?"

De ander, de nieuwkomer, haalde zijn schouders op. Hij zei ongeduldig: "We moeten met elkaar praten, want we moeten ons erop voorbereiden dat de onafhankelijkheid straks een feit is!"

Hij scheen een heel programma te hebben: anders dan het onze, want daar stond voor ieder van ons alleen maar op: gewoon terug naar de eigen familie, ons ervan overtuigen dat iedereen nog in leven was! Daarop hield die man (die er goed uitzag, als een sportman en gespierd: hij begon indruk te maken) een nogal vlot betoog, dat hij besloot met een zin in het Frans: "Na de onafhankelijkheid", eindigde hij gloedvol, "zullen er tal van kwesties besproken moeten worden... Bijvoorbeeld, en dat is een heel belangrijke kwestie," en pas toen ging hij op Frans over, "wordt Algerije een land zonder kerkelijke binding?"

Sommigen om me heen haastten zich deze woorden te vertalen voor degenen die alleen maar Arabisch of Berbers spraken: "Algerije" hoefden ze niet te vertalen, ze hadden allemaal herhaald: *el Djezaïr*; "een land", dat vertaalden ze natuurlijk wel. Maar bij "zonder kerkelijke binding" wisten ze het allemaal niet meer.

Die laatste woorden werden overal om me heen gemompeld, herinner ik me. De meesten hadden, op z'n Frans uitgesproken, zoiets als "zonder feesten" verstaan – want dat begrip "zonder kerkelijke binding", daar hadden ze in die zes jaar van gemeenschappelijke strijd nog nooit van gehoord.

Zeker, sinds eind '57 was de nationalistische groepering, zelfs in de Kashba, sterk uitgedund: sommigen waren gedood, anderen waren op de vlucht of hadden hun heil bij het verzet gezocht: in hun plaats waren er in blauwe gewaden gestoken Toearegs verschenen, die met de Franse para's samenwerkten...

Ten slotte stelde iemand de spreker in het Arabisch de vraag: "Beste broeder, wat heeft dat 'zonder feesten' ermee te maken?"

En inderdaad, dachten de meesten, van feesten is voor ons toch al lange tijd geen enkele sprake meer geweest. De nieuwkomer staarde ons stomverbaasd aan: "Ik zei", en hij herhaalde het Franse woord met nadruk op de beide lettergrepen, "LA-ÏC, en niet *l'Aïd!*"

Ik vertel je dit voorval, Nadjia, met de aantekening dat dat begrip "laïc", zonder kerkelijke binding, in het Arabisch voor ieder van ons nog totaal geen inhoud had... Veel Arabische en Berberse woorden zijn er om iets van een "gelijkheid van opvatting", een "raad van vertegenwoordigers", een "diwan" aan te duiden, ik weet niet wat nog. Maar wat was het niet bestaan van een kerkelijke binding? Iets leegs, een begrip waarbij je je niets kon voorstellen, bij ieder van ons, in dat kamp en, ik moet toegeven, ook iets leegs in mijn hoofd van toen! Op m'n zestiende, toen ik in dat kamp van de Maarschalk terechtkwam, was ik politiek gezien volstrekt onwetend!'

Nadjia zei niets. Ik liet een ogenblik mijn gedachten gaan over dat voorval dat me weer te binnen was geschoten. Het was alsof die man, net als wij een Algerijn, die in hetzelfde schuitje zat als wij (arrestatie, gevangenschap) de koe bij de horens had willen vatten, en waarom: om te zorgen dat er gediscussieerd werd! Behoorde het niet een stelregel te zijn dat de avond werd doorgebracht met 'discussiëren'? Je had soldaten; en je had ons: dat was eenvoudig. Het ging erom vol te houden!

Waarom vertelde ik Nadjia dat verhaal over het kamp? Misschien omdat zij zo goed de woordenwisseling had nagebootst met de taxichauffeur die verzekerde dat binnen een maand alle vrouwen in het land, vrijwillig of gedwongen, 'fatsoenlijk gekleed' zouden gaan.

Nadjia, die enigszins geamuseerd had geluisterd, veranderde van toon: 'Je zou weer weg moeten gaan!' raadde ze me aan.

En ze vertelde me over haar reizen. Haar vriend was Italiaan.

'Ik voel me thuis in Rome, in Padua... vooral in Padua...'

'Mijn reizigster, mijn zwerfster, mijn...'

Ze legde haar hand op mijn mond: 'Laten we wat dromen!' zei ze. 'Mijn grootmoeder heeft me een huisje nagelaten, in een oude wijk in Tlemcen. Over tien, over vijftien jaar zal ik bijna een oude vrouw zijn. Ik ga een wens doen: ik zou dan met jou in het huis van Mma Rekia willen wonen, en dat staat vast, ik zal je nooit meer verlaten!' zuchtte ze.

De dag na het vertrek van Nadjia kreeg ik behoefte ons laatste gesprek in dit splinternieuwe schriftje vast te leggen: 'Het land is een vulkaan geworden', zei ze.

Tegelijkertijd moest ik weer denken aan de laatste zuchten van de geliefde, de wensen die ze uitgesproken had, met een bijna bedroefde stem, alsof ze wel graag wilde, maar niet geloofde dat ze ooit vervuld zouden worden: 'Over tien jaar, in Tlemcen!' Vervolgens had ze verklaard dat, mochten we dan later samenwonen, 'dat stond vast, ze me nooit meer zou verlaten!'

Een wens? Sprak ze haar verlangen uit bij me te blijven, een verlangen waaraan, omdat de Kashba afviel, in een verre toekomst in Tlemcen voldaan zou worden?

Ik dacht met spijt: je hebt niet eens gevraagd: en waarom niet meteen? Waarom blijf je niet zo lang mogelijk hier? Waarschijnlijk, dacht ik achteraf, had ze gehoopt dat van mij te zullen horen. De laatste ogenblikken was het contact zo intens dat ik me eigenlijk niet kon voorstellen dat Nadjia zou vertrekken: als bij een kinderspelletje voelde ik haar aanwezigheid zo sterk dat ik de realiteit uit het oog verloor. Alles werd spel en zinnelijkheid, en de prozaïsche werkelijkheid die ons uiteen zou scheuren, die zag ik niet eens meer!

We hadden het over de toekomst, over reizen die ze van plan was te maken, en ik bleef als het ware onder narcose: de bekoring van haar aanwezigheid, de aan beide kanten overlopende emoties, mijn heftige gemoedsbeweging die ik onderdrukte verhulden al het andere, leidden ons ervan af.

Maar ze vertrok.

Ja, ik zette me haastig aan het schrijven om iets van haar aanwezigheid vast te houden.

Ik had me erop moeten voorbereiden dat het nadien stil zou zijn (wat ik vooral mis, is haar stem), waarom heb ik er niet aan gedacht Nadjia's stemgeluid op te nemen? Er zit een bandrecorder in een van mijn nog niet geopende koffers: om het geluid van de golven op bepaalde dagen op te nemen...

Maar zolang ik met Nadjia samen was, dacht ik er geen moment aan dat ik, als ze eenmaal weg was, in een gat zou vallen omdat ik niet meer gewend was alleen te zijn... Ik kan slechts schrijven op een manier die een onvermijdelijke vertekening geeft: hoe kan, aangezien ze Arabisch sprak en ik de woorden die ik me van haar herinner in een andere taal weergeef, mijn schrijven echt een troost voor haar afwezigheid zijn?

Waarom deze zijsprong naar herinneringen? De jongeman van zestien die ik was, de man, in het kamp, die het tegen ons over kerkelijke bindingen had. Tjee, dacht ik, hij heette Rachid, net als de visser! Wat zou er van die Rachid geworden zijn?

En in een flits kwam het verlangen bij me op hem nog eens te ontmoeten, om erachter te komen wat er van deze Rachid geworden was, die al die tijd diep in mijn geheugen verborgen had gezeten. Daar dook dat woord 'laïc' opeens op, als een torpedo uit het donker!

Het hele tafereel, met de kring gevangenen; ik, de jongste, die erbij staat te kijken... 'Laïc!' De stem van die Rachid sprak de beide lettergrepen apart uit en hij was stomverbaasd vast te stellen in welke toestand van geestelijke lijdzaamheid wij deze gevangenschap ondergingen! Toch tweehonderd mensen: we vormden in die cel al een heel volk!

Al die volwassen mannen, familiehoofden, boeren en stadsbewoners, die de zorg hadden ons, de jongsten, niet te tonen in welke toestand van ledigheid wij allen verkeerden. Maar één woord was genoeg geweest! Een Frans woord, dat bovendien niemand in staat was geweest te vertalen! Voor ik gearresteerd werd, had ik twee jaar als leerling-typograaf gewerkt. Op het werk had men mij kunnen vragen: 'Knul, hoe vertaal je het woord "laïc" in het Arabisch?' Dat had kunnen gebeuren, met collega's bij Guiauchin, bij het drukken van een schoolbrochure.

Ik besefte vaag dat dat woord 'laïc' een moderne betekenis had, dat het ons, erover pratend, mogelijk zou hebben gemaakt vooruitgang te boeken, wij, die slechts droomden van onafhankelijkheid... Ik voelde dat die Rachid over de wegen snelde, gehaast, en ons al ver vooruit...

2

November (ik weet niet meer welke dag), Douaouda aan Zee, vroeg in de morgen

Ik schrijf niet in Arabisch schrift; toch zou dat geschikter geweest zijn om iets van onze innigheid weer te geven, net als toen ik op het schoolbord, op de koranschool beneden in de Kashba, de kortste soera's overschreef, die aan het eind, de gemakkelijkste. Als kind schreef ik zelfs fragmenten van de heilige tekst op zijdepapier, zonder te weten dat dit schoonschrijven niet diende om beter te worden maar alleen om gelukkig te zijn en elk onheil af te wenden!

In de schaduw van Nadjia schrijf ik in het Frans, onrustig en omdat ik toch niet kan slapen, in het kielzog van de momenten van verdwenen zinnelijkheid. Het is toch maar mijn Latijnse alfabet dat op deze aarde door de eeuwen heen stand heeft gehouden; het werd in rode stenen gebeiteld, daarna vergeten toen alles in verval raakte. Maar de ruïnes blijven voor het merendeel prachtig.

Ruim een maand geleden schreef ik Marise over mijn terugkeer naar hier en het trage tempo waarin ik mijn dagen doorbreng. Marise, mijn vertrouwelinge! Toen verscheen Nadjia opeens, die nu weer is verdwenen! Zou ik Nadjia willen schrijven, dan heb ik niet eens een adres. Voor geen geld ter wereld zou ik er Driss naar durven vragen.

Nadjia blijft in mijn oor zuchten: 'Het is zo lang geleden dat ik tijdens het bedrijven van de liefde Arabisch sprak...' – een stilte, dan: 'Tijdens het bedrijven van de liefde en erna!'

Die stem, vlakbij, smachtend van verlangen: die Arabische

woorden naar hier brengen, ze naar me toe halen om ze als tweede taal vast te houden? Haar woorden, uitgesproken in onze moedertaal, ik hoor hoe bijzonder ze klinken: en het Frans wordt voor mij de enge poort om de zucht naar zingenot te laten voortbestaan die mijn woning in een vrolijk licht zet.

Stanza's voor Nadjia

Ik schrijf slechts om je stem te horen: je tongval, je manier van praten, je ademhaling, je gekreun.

Ik ga als notulist voor je, tegenover je, tegen je aan zitten, terwijl er in mijn binnenste een geluidloos spreken aan de gang is.

In het Frans blijf ik het enige spoor volgen dat ik heb, zet ik mijn jacht voort, op weg naar jou, naar je schim.

Schrijven en overgaan op de Franse taal, dat is de beste manier om je stem, je woorden dicht bij me vast te houden. Hun nagalm in mijn kamer te laten voortduren, met tegenover me de zee en haar einder, duidelijk als een draad die me met het verlangen verbindt, me helpt de hoop levend te houden dat mijn woorden – ook bij mij 'de woorden na het bedrijven van de liefde' – je ooit zullen bereiken!

Alsof, naargelang ik erin volhard me tot je te richten, de angst binnensluipt dat je niet meer terug zult keren, dat ik je nergens terug zal kunnen vinden, ik, oud geworden Orpheus, die ervan afziet je tot in de duisternis te zoeken!

Ik zal me daarom slechts in het Arabisch tot je richten, lieve zuster – minnares – alsof je in mijn armen ligt. Nu stel ik me voor dat we in Rome zijn, door het raam van onze hotelkamer bereikt ons het rumoer op de Piazza Navona. Ik wissel kinderwoorden met je, ik dring opnieuw in je binnen, we liggen laag, op een matras die we op de blauwe tegelvloer hebben getrokken, de deur die half openstaat geeft toegang tot een binnenplaats waar het snikheet is. Vervolgens zien we elkaar misschien terug op Sicilië, maar in de loop van een ander tijdperk, geketende passagiers, met dien verstande dat het weerzien opnieuw tot innige omhelzingen heeft geleid, één geworden, ja, door dezelfde woorden uit de kindertijd die door de hartstocht vrij spel wordt gelaten: anderen zijn gewelddadig, alleen voor ons beiden gaat het om genot waar we maar niet genoeg van kunnen krijgen, ik noem je in mijn Andalusisch dialect: *ya khti*!, mijn zusje, onze endogamie is slechts schijn, wij zijn eender en toch tegengesteld, in gelijke mate zwijgzaam en streng...

Ik schrijf in je schaduw, in een taal die me eenzaam maakt in een mate die me pijn doet! Dit Frans, zal het mijn stem niet verkillen? Zal ik, terwijl mijn hand over het papier snelt, misschien niet bezig zijn een lijkwade tussen jou en mij op te hangen?

Schrijf ik voor jou? Dicht tegen je aan? Om me het gevoel te geven dat het alleen voor jou is, zit ik dan nu, opeens, zonder moeite (voor het eerst van mijn leven) te schrijven in de taal van een schrijver, alsof ik nooit anders gedaan heb, en om niet meer van mijn plaats te komen, bij wijze van spreken.

In ballingschap bleek ik niet het doorzettingsvermogen te hebben om te schrijven!

Dankzij jou is het nu zo: hoe langer ik bezig ben met het zoeken naar mijn woorden, hoe beter ik in mijn eigen ritme kom, misschien omdat ik jou graag wil bereiken, terug wil hebben, zo niet om je weer in mijn armen te nemen, dan toch in ieder geval om je de kracht van mijn wil te laten voelen...

Mijn schrijven, jou toegereikt, verandert in mijn huid, mijn spieren, mijn stem: mijn Frans drijft naar je toe zodat je het kunt horen zoals je het ruisen van de golven voor mijn raam hoorde, weet je nog?

Liefde en hartstocht zijn niet langer een overmaat aan woorden, liefkozingen, heftigheden tijdens het almaar langer durende één zijn, zij zijn een tatoeage op papier die gelezen moet worden: voor het geval ik niet naar je terug zou keren en ook niet dat...

Ik schrijf je: ik spreek tot je, je luisteren houdt me in leven...

3

25 december

Is dat nu echt een dagboek waar ik deze winterdagen een begin mee maak (morgen, dag dat er gestemd wordt voor de eerste verkiezingsronde, ik ga niet stemmen: ik heb me niet op tijd laten registreren zodat ik niet op de lijst van kiesgerechtigden sta).

Driss belt me: hij is ontsteld over het meer dan waarschijnlijke resultaat van de eerste verkiezingsronde. De ontevredenheid van het volk heeft het islamitische kamp een enorme toeloop bezorgd. Driss zegt dat hij met zijn collega's dag en nacht bezig is om hun weekblad te laten verschijnen.

Nadjia had de ommezwaai voelen aankomen. Morgen, wanneer het dreigende gevaar zichtbaar zal zijn geworden, ook buiten het land, zal ze aan mij, 'de kluizenaar', zoals ze me noemde, denken.

Ik moest weer denken aan het voorval in het kamp waarover ik haar vertelde. Die onjuiste betekenis van *laïc* dat veranderd werd in *Aïd* lijkt nu tot iets tragisch te leiden: met betrekking tot deze massa 'mensen die niets te doen hebben', vijftien tot twintig jaar oud, die zich in het Arabisch met bittere spot 'degenen die de muren overeind houden' noemen en die zich om hun gedwongen nietsdoen te vullen als bewonderaars rond enkele uit Afghanistan teruggekeerde 'emirs' verzamelen, zou zich het voorval in het kamp van de Maarschalk, in 1962, opnieuw kunnen voordoen.

Degene die tegenover hen zou verklaren dat 'onze jonge staat een republiek zonder kerkelijke binding is!' zou zich als reactie meteen woede of hoon op de hals halen. En haat, vervolgens verdeeldheid zijn voortekenen van de tweespalt die tussen de burgers zal ontstaan.

Ik zei het onlangs tegen Marise toen ik haar aan de telefoon had. Zij is altijd degene die belt, meestal op zondagochtend... Een keer noemde ze als reden dat het beltarief die dag goedkoper was, zodat we langer konden praten... Ik merkte dat ze waarschijnlijk nog wel eens in ons hotel kwam, in ieder geval om de bijbehorende cafetaria te bezoeken... Ze blijft lief, en met lichte ironie veroorloofde ik me het grapje: 'Weet je wanneer ik weet dat een ander mijn plaats in je hart heeft ingenomen?'

Ze wachtte, moest even lachen, en ik voegde eraan toe: 'Zodra je me niet meer 's zondags belt!'

Ze ging er niet op in. Ze probeerde de aandacht af te leiden om te voorkomen dat de ontroering zich in ieder geval van een van ons meester zou maken: 'Ik wilde zien of ik je kon overhalen om in het voorjaar een reis met me te maken!'

'Kom je hierheen?' vroeg ik ironisch. 'Dit land zal voortaan niet erg happig meer zijn op toeristen...'

'Ik dacht...' (Ze aarzelde.) 'Een week in maart naar Opper-Egypte, nou, zeg eens?'

Ik reageerde niet, ik wilde het land niet uit. Maar ik was voorzichtig, plotseling vol dankbaarheid voor Marise die, op haar manier, zo trouw was: 'Ik wilde je graag zeggen dat ik, dankzij jou en omdat ik teruggekeerd ben, merk dat jouw liefde gedurende die jaren me...' Ik aarzelde even. 'Tot... vrede gebracht heeft!'

Ik besefte meteen hoe belangrijk die laatste woorden waren: Marise heeft me weer tot vrede met mezelf gebracht, ik, de Algerijn, die in Frankrijk, bij 'hen', werkte! Terwijl ik de hoorn neerlegde moest ik weer aan de para's denken, aan degenen die, die winteravond in '57, mijn oom van moederskant vermoordden die in onze Blauwstraat luidkeels afscheid van de hele wijk nam. Ja, ik had het met Marise over die oom kunnen hebben, doorzeefd met kogels omdat hij zich niet aan de avondklok had gehouden... Vervolgens zou ik haar meegedeeld hebben dat zij door mijn moeder de 'Française' werd genoemd: 'Jij hebt me tot vrede gebracht! Dat heeft het me mogelijk gemaakt daadwerkelijk naar huis terug te keren!'

30 december '91

Het land is in beroering.

Ik koop elke ochtend mijn kranten en lees ze bij mijn vriend de kruidenier. Af en toe spelen we, hij en ik, een of twee lange partijen domino. We hebben het nauwelijks over de gebeurtenissen.

Bij de wanorde die eraan komt, blijft me niets anders over dan schrijven. De herinneringen aan mijn jeugd weer op een rij zetten: zoals toen ik in het bijzijn van Rachid de visser of Nadjia een paar voorvallen uit die tijd nogmaals beleefde.

Eind van het jaar

Het is oudejaarsavond. Over een paar uur begint het jaar 1992. Feest, althans in Europa. (Ik kwam er pas vrij laat achter wat dat woord 'oudejaarsavond' inhield. Het doet me niets.)

Hier opwinding, maar ook bezorgdheid.

Afgelopen nacht heb ik een begin gemaakt met 'De jongeman'. Ik herbeleef december '60, daarna '61... Ik heb opeens haast: mijn geheugen staat te trappelen als een paard dat zo gauw mogelijk uit de stal weg wil om los te stormen en naar de horizon te rennen...

12 januari '92

Het land beleeft een revolutie: een hevige schok, een staatsgreep? Hoe dan ook, het heeft alle schijn van een impasse: kiezen tussen de kazerne en de moskee, en dat om leiding te geven aan een heel volk waarvan, zelfs dertig jaar later, de wonden van de oorlog van weleer nog steeds niet helemaal genezen zijn!

Ik voer, voor mezelf, mijn eigen piepkleine revolutie, die al mijn energie opeist: 'De jongeman' begint voor mijn ogen te leven. Hij beweegt, onwerkelijk, maar het is een geestverschijning die me na staat, hij droomt, luistert, kijkt naar volwassen mannen, anderen die net als hij gevangen worden gehouden!

Ik dacht dat schrijven over je eigen verleden tot een soort navelstaren zou leiden. Maar nee! Het is wel egotrippen, maar in zekere zin alsof het een onbekende betrof.

Om door te kunnen gaan met schrijven moet je, ook al tast je in het donker, toch een beetje van jezelf houden! Je moet vaag het gevoel hebben dat er sprake is van enige sympathie.

18 januari

Vannacht, nog half in slaap, voelde ik een duister verlangen in me opkomen: geen lichamelijk, ook geen seksueel verlangen, misschien een beetje, volgens mij, zoals bij een zwangere vrouw die de foetus in zich voelt bewegen.

Mijn herinneringen hebben me wakker geschud: een bijna tumultueus wakker liggen. Luiheid weerhoudt me ervan op te staan: waarschijnlijk heb ik niet langer dan vier uur geslapen maar diep in mijn slaap was er iets wat bewoog, schommelde, zich roerde.

In het land is het geweld begonnen, aan weerskanten, maar men vermijdt het in de openbaarheid te brengen, men denkt dat het zo zal lukken de verborgen razernij te beteugelen. Vervolgens was er die vergeten held: die bijna oude man, stijf, wat somber en heel aandoenlijk, die ten slotte bereid was de verantwoordelijkheid voor het land op zich te nemen. Ik zag hem in de kranten afgebeeld op het moment dat hij uit het vliegtuig stapte: Boudiaf, de voorlopige leider? Natuurlijk, dat hebben velen gedacht: net als De Gaulle, op 13 mei teruggekeerd, toen men vreesde dat er in het land een scheuring zou ontstaan.

Ik vertrok bij de kruidenier. Ik doorkruiste een groep plattelanders die op de bus stond te wachten. Een boerin vlak bij me, ja, de stem van een oude vrouw riep, terwijl de naam van de nieuwe president van mond tot mond ging, in het Arabisch en op verontruste toon uit: 'Moge God hem beschermen! O ja!'

Dat stemde me erg droevig, vervolgens ebde dat gevoel weer weg, want dat het volk zich geestdriftig toonde, trof me.

Ik had het aan de telefoon met Driss over de nieuwe president. Hij was wel erg optimistisch. Hij zei zelfs tegen me, met een lach die vol vertrouwen klonk: 'Het is alsof deze held van 1 november voor jou naar het land terugkeert.'

Ik lachte onverschillig: 'Ik ben beslist terug, maar ik heb niets van een held! Daar ben ik heel zeker van!'

En Driss onbevangen: 'Waarschijnlijk ben je er onkundig van (en er klonk oprechtheid in zijn stem) dat jij gedurende mijn hele kindertijd míjn held was!'

Driss vergist zich: in het verleden was ik hooguit een kindgetuige te midden van de roerige menigte!

14 februari

Opeens krijg ik de behoefte om te schrijven: wanneer de geliefde weggaat en je haar niet kunt vergeten, zet je je aan het schrijven zodat ze lezen wat je geschreven hebt...!

Ik schrijf omdat Nadjia in mijn hoofd rondspookt en ik hoop dat ze als ze me ooit, ook al is het aan het andere eind van de wereld, leest, mijn stem zal herkennen! Dat is niet erg waarschijnlijk maar ook niet onmogelijk. Ik schrijf in haar schaduw en ondanks dat we gescheiden zijn. Ik begeef me weer naar het terrein van de kindertijd, ook al valt mijn Kashba tot stof, tot puin uiteen.

Ik schrijf op het grondgebied waar ik kind was en voor een geliefde die ik ben kwijtgeraakt. Weer tot leven wekken wat ik, gedurende de lange periode van ballingschap, in mezelf heb weggestopt.

Ik schrijf in het Frans, ik die in Frankrijk te lang mezelf heb verwaarloosd.

De liefde, het schrijven: elke nacht experimenteer ik ermee. Soms hoor ik de zee niet eens meer. Elke ochtend bij het aanbreken van de dag, een prachtig schouwspel in dit koude jaargetijde, lijkt het alsof ze in het licht van de zon als een slapende tevoorschijn komt. Nadjia, o mijn grot van Efese waarin ik alleen slaap, misschien hooguit met een hond. Niemand weet het, behalve ik, en jij die me, hoop ik, zult lezen.

Over een jaar, over twee jaar zul je bij de Saint-Sulpicekerk of niet ver van het Canal Grande in Venetië een boekwinkel binnenstappen. Je zult dit boek kopen; je zult het in één ruk uitlezen. Een van de dagen erna zul je het vliegtuig nemen. En hier voor de deur staan.

Terwijl je me omhelst, zul je zeggen: 'Ik kom terug, zoals ik beloofd heb: om samen in Tlemcen in het huis van mijn grootmoeder te gaan wonen!'

Ik zal niet doen of ik verbaasd ben. Vervolgens zal ik in bed talloze keren tegen je zeggen: 'Ik wist dat je je belofte zou houden!'

Alle nachten, onafscheidelijk!

Jij, mijn teruggevonden Kashba.

De jongeman

I

Begin december '60, in Algiers, zes jaar na het uitbreken van de onafhankelijkheidsoorlog: het vuur smeult opnieuw, zal opnieuw oplaaien.

Deze keer begint het niet in de Kashba maar in de buitenwijken waar het volk woont, aan de andere kant van het stadscentrum: in Belcourt. Jongelui van vijftien tot twintig jaar gaan de straat op, vrij gauw gevolgd door vrouwen van alle leeftijden en zonder sluier.

11 december: de onverwachte uitbarsting. Spreekkoren die luider worden, opgestoken blote handen, met de handpalm naar de hemel, of handen die Algerijnse vlaggen ontvouwen onder de neus van Franse soldaten die posities innemen, uitdagende gezichten van mensen die schreeuwen: 'Algerije Algerijns!' Twee ritmisch uitgesproken woorden die meteen verderop worden overgenomen en zich snel verspreiden in de straten, op de avenues, midden in de wijken waar eenvoudige blanken, stomverbaasd, plotseling hun deuren op slot doen of de boel vanaf hun balkons in de gaten houden.

Ik ben bijna vijftien. Ik werk al een jaar: maandenlang leefde de familie (mijn moeder, mijn grootmoeder, mijn zusters) door te lenen en door op verschillende manieren haar kostje bij elkaar te scharrelen; en dat vanaf het moment dat tijdens de strijd om Algiers mijn vader, vervolgens mijn broer gearresteerd werden.

Een jaar geleden kwam een van de buurmannen in de wijk me een voorstel doen: 'Ik heb een vriend die typograaf is en die een leerjongen zoekt met goede schoolprestaties voor een stage in de grootste drukkerij van Algiers. Die ligt niet ver van het exercitieveld, dat is voor jou niet zo ver van huis!'

'Met goede schoolprestaties?' zei ik aarzelend.

Nadat wij in de loop van '58 te weten waren gekomen hoe het mijn vader was vergaan, die vreselijk gemarteld was maar die ze uiteindelijk naar een gevangenenkamp in het zuiden van het land hadden gestuurd, ging ik niet meer naar de school in de Sudanstraat.

Ik had me niet aangemeld voor het toelatingsexamen voor de middelbare school. Toch had ik het schoolhoofd, meneer Benblidia, beloofd dat ik dat examen op het Groot Lyceum zou afleggen. Het maakte me bang: buiten mijn wijk, in het gezelschap van bijna uitsluitend Europese jongens – want wij wisten, wij, op straat, wie joods, of Spaans, of Maltees was, of (maar ik had er bij ons thuis nog nooit een gezien) 'een Fransman uit Frankrijk!'

Ik had die beste meneer Benblidia bezworen dat ik het examen zou doen. Hij was de opvolger van schoolhoofd Gonzalès, degene die me in het verleden van school had willen sturen.

Uiteindelijk had ik me niet voor de toets gemeld. Ik wilde mijn Kashba niet verlaten: mijn vader, in de gevangenis, mijn broer Alaoua, na hem opgepakt: ik was de enige overgebleven man in huis. Opeens voelde ik me vrij; dat wil zeggen geheel doordrongen van mijn belangrijkheid met betrekking tot de vrouwen, in het bijzonder mijn zusters: wie moest er over hen waken, wie weerhield een vreemde ervan hen oneerbiedig tegemoet te treden? Mijn beide jongere zusters gingen naar school (waar ze meer hun best deden dan ik), ik was bereid te vechten om het voor hen op te nemen wanneer ze beledigd zouden worden (een te opvallend gegluur, een woord te veel dat hun in het voorbijgaan werd toegefluisterd). De ene was elf, de andere negen!

Opeens werd ik in onze wijk door mijn positie als hun beschermer beschouwd! Ik gebruikte dit voorwendsel, of deze gelegitimeerde rol (ik was alles welbeschouwd de zoon van de belangrijke Si Saïd) om het examen niet af te leggen en niet naar de middelbare school te gaan.

Ik begon in moorse cafés rond te hangen. Ik maakte het me tot een gewoonte 's middags stripverhalen te verkopen ten behoeve van het analfabetische mansvolk dat zich rond de Nedjma-bioscoop verdrong: in afwachting van de vertoning van Egyptische of Amerikaanse films gingen ze zitten, kochten die blaadjes van mij en bekeken bewonderend de tekeningen: af en toe vatte ik het verhaal kort voor hen samen, want ze konden de teksten in de ballonnetjes nauwelijks lezen. Aan de hand van de afbeeldingen verzonnen ze naar believen een hele roman. Het waren trouwe klanten van me, ik spreidde mijn stripverhalen op straat uit voor de enige bioscoop in de wijk. Omdat ik elke avond zo'n tien tot twintig vaste klanten had, leverde me dat behoorlijk wat zakgeld op: dus bekroop me het verlangen om eens naar zo'n 'onfatsoenlijk' huis te gaan. Mijn hart bonkte bij de gedachte aan de vrouw die me zou inwijden, hopelijk was het een... aardige vrouw. Aardig... maar in welke zin? Ik durfde nog niet, maar ik droomde er elke avond van...

Dat ik niet meer naar school ging – en mijn beide zusters beschermde, dat wil zeggen ze buiten in de gaten hield, want zij gingen wel – gaf duidelijk aan dat ik geen kind meer was: ik ben bijna een man, zei ik tot mezelf, want ik veronderstel dat ik me er, in mijn onwetendheid toen of in mijn onnozelheid, niet eens bewust van was dat er nog een tussenperiode bestond: de 'tienertijd'.

Nu ik het opschrijf, is het zo'n mooi woord: 'tiener'! In mijn wijk zou men in het Arabisch *seghir* gezegd hebben, 'jongere', zoals men het in de bioscoop over 'jonge held' had. Zo noemde men de hoofdrolspeler in de tot het Egyptische repertoire behorende suikerzoete liefdesfilms met veel zang... Nee, voor mij niet iemand om een voorbeeld aan te nemen! Met een gemartelde en gevangengezette vader en een eveneens opgesloten broer, was het voor mij onmogelijk me een *tfel* of een *seghir* te voelen zoals in die liefdesverhalen: bij ons thuis droomde iedereen die zich niet langer een kind voelde ervan een 'keiharde' te worden, zoals degenen die de Franse parachutisten het hoofd hadden geboden en die bijna allemaal gesneuveld waren! Zoals Ali-la-Pointe!

2

Alaoua, mijn broer, is zojuist vrijgelaten uit de gevangenis. Ook hij heeft als zovelen geen werk, maar sinds hij vrij is, schijnt hij bezigheden elders te hebben. Ik ben al een jaar vaste leerjongen bij drukkerij Guiauchin. Mijn schamele loon verlichtte de last die op mijn moeder drukte: wat de avondlijke verkoop van stripverhalen oplevert, hou ik zelf...

Alaoua voert lange gesprekken op fluistertoon met mijn moeder: af en toe verdwijnt hij enkele dagen, maar daar maakt zij zich niet ongerust over. Ik ben dolblij dat hij me niet opnieuw is gaan bevoogden: hij laat me toezicht houden op mijn zusters buiten. Ik hou ze angstvallig in de gaten en elke avond voor ik in slaap val droom ik van de vrouwen in de huizen die 'niet net' zijn.

11 december '60: die dag eten we 's middags in de gezellige kleine keuken. Alaoua, mijn broer, is er ook; op zijn gebruikelijke autoritaire toon zegt hij: 'Het is twaalf uur! De mensen zijn zenuwachtig de laatste dagen: laten we naar de nieuwsberichten op de radio luisteren!'

De nieuwslezeres is net bezig haar overzicht in de Franse taal af te sluiten: 'In de wijk Belcourt worden sinds vanochtend demonstraties gehouden... Veiligheidstroepen hebben de wijk omsingeld.'

We luisteren in een gespannen stilte. Ze eindigt met een zin die mijn broer doet opspringen: 'Aangezien het in de Kashba rustig is, wordt verwacht dat de orde spoedig hersteld zal zijn.'

Bij de woorden dat het in de Kashba rustig is, ontsteekt mijn broer in woede alsof hij zojuist persoonlijk uitgedaagd was: 'Wat nou de Kashba, de Kashba... Zijn wij dan geen mannen?'

We draaien ons naar hem om: hij heeft gelijk. Dan geeft hij de vrouwen, onze moeder, onze zusters orders: 'De grote vlag die jullie genaaid, gestreken, opgevouwen en in een la verstopt hebben, ga die halen... Het is de dag ervoor!'

Ik sta eveneens op. Naast Alaoua wacht ook ik op die vlag. In elk huis in de Kashba is er een aanwezig en sinds het eind van de slag om Algiers, eind '57, waarbij onze helden gedood of gevangengenomen werden, wacht deze eenvoudige lap stof stilletjes tot zijn ogenblik gekomen is, hij, ons symbool, onze hoop!

Alaoua en ik begeven ons naar het terras. Mijn broer pakt een van de stokken die dienen om de lijnen te spannen waaraan het wasgoed van het huis te drogen hangt. Hij maakt er vrij vlot een vlaggenstok van: mijn zusters brengen de geheel uitgevouwen vlag.

Zonder nog enige voorzichtigheid in acht te nemen zorgen Alaoua en ik ervoor dat hij breeduit komt te hangen. Ook op enkele naburige terrassen verschijnen vlaggen. Blijkbaar hebben de woorden 'aangezien het in de Kashba rustig is' van de nieuwslezeres een algemene reactie uitgelokt. Later zal Alaoua zeggen: 'Toen ik die dag de radio hoorde, voelde ik me beledigd!'

Terwijl van elk terras in het hooggelegen deel van de Kashba luid joejoe-geroep weerklinkt en in de richting van de hemel en de zee wegsterft, komen jongeren van allerlei leeftijd naar buiten, nemen ze met vlaggen in de hand de straten in bezit.

Vrouwen zien van bovenaf hoe ze in de straatjes snel afdalen, zich verspreiden in de bredere straten beneden en de belangrijke hoofdwegen in bezit nemen. Hun schelle joejoe-geroep begeleidt de demonstranten, wordt een ononderbroken waterval, een wilde stroom van plotselinge vreugde: een aanhoudende, stoutmoedige aansporing...

Ik bevind me te midden van de dichtst opeengepakte mensenstroom, die naar de brede Marengostraat vloeit, daar waar, aan de overkant, het gebied begint waar de Franse bevolking woont. Bij onze nadering is alles haastig gesloten: winkeltjes, cafés, huizen... Ze kijken naar ons, zij, maar vanuit hun ramen, vanaf hun balkons, achter hun luiken. Dat is geen bezwaar!

Midden tussen de mensen die zich met geschreeuw en het roepen van leuzen uitleven (en steeds, verder naar achteren, de schelle uithalen van de vrouwenkoren, een eindeloos gekoer) loop ik, met een hard en lang stuk hout of misschien een stoelpoot in de hand. Ik sla ruiten in – ruiten van gesloten winkels, alsof de reden van hun sluiting alleen maar het middagslaapje was.

Om me heen andere vernielers. Opgewekt, net als ik; net als ik opgewonden schreeuwend: 'Algerije! El Djezaïr...' We verzinnen slogans, steeds weer andere, we roepen ze luid en duidelijk, zingen ze, in het Frans en in het Arabisch, voor onszelf en voor degenen aan de overkant van de straat. We voelen ons door hen bekeken, alsof ze ons verwacht hadden, alsof ze ons hadden zien aankomen, verborgen achter hun neergelaten rolluiken! Niet ver bij mij vandaan zijn andere jongens bezig met meer beleid en met koelere vastberadenheid vernielingen aan te richten: Franse cafés waar men ons nooit bediend heeft, bars waar we nog nooit om wijn of bier hebben gevraagd.

Ze hebben zich verstopt, ze beven, nu is onze tijd gekomen! Ah, de nieuwslezeres op de radio had het gewaagd te zeggen: 'Aangezien het in de Kashba rustig is'. En ik stel vast: het was helemaal geen kwestie van rust, het was alleen maar een kwestie van afwachten!

Ik verloor mijn broer uit het oog, hij die vóór mij als reactie op de nieuwslezeres had uitgeroepen: 'Wat nou, zijn wij geen mannen?' Dat zijn we wel: mannen, kinderen en mannen. Jaren hebben we gewacht tot onze tijd gekomen zou zijn: 'Ontwaakt, o bewoners van de Kashba, sinds '58 hebben ze jullie vernederd door de aanwezigheid van harki's*, Toearegs, collaborateurs! Zou Ali-la-Pointe tevergeefs gestorven zijn?'

Nu, verwoeste cafés, winkeletalages waarin alles aan gruzelementen is geslagen. Jongens en jongemannen die nu de straat op zijn gegaan: opgewekt, teugelloos, opgewonden; ik heb geen idee met hoeveel we zijn: een bos dat dichter, donkerder wordt, en een afkeurend, verwijtend, woede uitdrukkend geschreeuw dat aanzwelt! Ik voel me maar een eenling te midden van de mensenmassa die optrekt, breekt, vernielt, vermorzelt, waarin af en toe plotseling een stilte valt, en die vervolgens door een onstuimige golvende beweging weer wordt voortgestuwd.

Dan komt alles even tot rust. We bereiken de bakkerswinkel van de Spanjaard: de winkel is open, de broden liggen netjes klaar, alsof het een dag als alle andere was. Het echtpaar en hun Arabische winkelhulp, roerloos: niet glimlachend, niet gespannen. Bereid hun brood weg te geven, het te verkopen of weg te geven.

Zonder dat er enig consigne hoeft te worden gegeven, trekt de menigte bedaard langs de enige winkel die geen weerstand oproept; onze mensen zwijgen, lopen stilletjes met een boog om de Spaanse bakkerswinkel, vervolgen hun weg: andere etalages tegemoet waar de ruiten zullen worden ingeslagen.

Ik ben de eerste die de winkel van een drogist binnendringt. Op een plank splinternieuwe bijltjes, wachtend om verkocht te worden: een buitenkans! Ik voorop, de anderen achter me aan, ieder pakt zijn bijltje en hup, een systematische en vrolijke vernieling van de hele zaak, die groot is, in het koele donker nog ruimer lijkt en, natuurlijk, verlaten is.

Ik word een echte Vandaal: opgewekt sla ik er ritmisch op los... Daarginds trekt iemand de geldla open, een ander gooit de

---

* Harki – inlands lid van het koloniaal reserveleger.

nikkelen of zilveren munten in de lucht, scheurt de bankbiljetten middendoor; de geldstukken glinsteren in het halfdonker, vallen als een lichtgevende regen neer. Een derde roept alsof het om een spel ging: 'Wij zijn geen dieven!' Hij riep het in het Arabisch.

Hij lijkt net zo blij als ik! dacht ik, een onvervalste, bedwelmende vreugde, ingegeven door dat willekeurige (en in niets opzienbarende) vernielen.

In die koele drogisterij voelde ik me opeens als de leider van een leger jongens dat zich, na vele sombere jaren, uitleeft... Ik herinner me ook een onverwachte stilte, omdat we het joejoe-geroep van onze vrouwen in de Kashba niet meer konden horen: in het koele donker van dat verlaten oord bevonden we ons op vijandelijk grondgebied. Zo leken we op onze voorvaderen, de geduchte zeerovers uit Algiers, plunderend, alles verwoestend, toen ze vroeger aan land gingen in de contreien van de volken in het noorden...

Geestdriftig bezig, nu met brute kracht tekeergaand, sta ik opeens tegenover twee enorme vaten: met het bijltje in de hand verlies ik, gedreven door een doelloos verlangen, vervuld van een vreugde die doldraait, elke redelijkheid uit het oog. Ik besluit de vaten te lijf te gaan: wat zit erin? We zullen het zo zien: met twee andere kornuiten, die ik aanmoedig rechtstreeks de aanval op de tonnen te openen, en om ze op te hitsen roep ik: 'Eén ding staat vast, er zal geen wijn uit komen!'

We slaan, we meppen, we vermaken ons als kinderen! Plotseling spuit er een bruisende vloeistof uit een van de tonnen die borrelt, die ons vooral blind maakt, die ons algauw het ademen onmogelijk maakt...

Meteen is mijn nieuwsgierigheid verdwenen, met brandende ogen deins ik terug. Omringd door bijna verstikkende dampen, slaat bij de vele mensen de twijfel toe en maken ze dat ze buiten komen. Ik ben de laatste die zich in de openlucht weer bij de anderen aansluit, die woedend schreeuwen, die weer nationalistische leuzen roepen. Op straat zetten we onze tocht omlaag voort tot we de Marengostraat helemaal afgedaald zijn.

'Laten we naar het Paardenplein gaan!' schreeuwt een schelle stem vooraan.

Ik weet niet hoe het komt, maar opeens bevind ik me te midden van gedrang. Na de voordeur van een pand ingeslagen te hebben, loopt een aantal mensen onwennig een soort gang in… Ik ben een van hen, maar ik voel me onzeker. Mensen voor me houden halt. Gedreven door nieuwsgierigheid loop ik ze voorbij. Ik kan nu ook weer beter ademhalen: ik heb geen last meer van de dampen in de drogisterij en mijn ogen branden niet meer.

Stilte; ik baan me een weg door de menigte. Dan zie ik dat de lange gang bij een woning op de benedenverdieping hoort. Aan het eind staren vier, vijf roerloze mensen ons met angstige gezichten aan.

'Dood ons niet! Dood ons niet!' schreeuwt een vrouwenstem.

Ik sta nog steeds met het bijltje in mijn hand: het is alsof ik in een droom leef. Het maakt me verlegen dat ik zomaar bij mensen 'in huis' sta. Maar een tel later herken ik te midden van de vier, vijf mensen, herken ik… Ik herken hem en roep: 'Het is Popaul! Een vriend die bij me in de klas zit! Blijf van hem af!'

Met mijn bijl in de hand ga ik tussen hen, die doodsbange mensen, met mijn rug naar ze toe, en mijn groep in staan. Vastberaden zeg ik nog eens: 'Een vriend! Daar blijven we van af!'

Daarna stuur ik, met mijn wapen in de hand, de anderen naar buiten.

Op straat duiken overal vandaan talloze demonstranten op: een krioelende massa mensen die uit alle uithoeken van onze Kashba tevoorschijn komt.

'Op naar het Paardenplein!' wordt er geroepen.

Ik laat me met de stroom meedrijven. Maar uit een straatje links nadert, als een ordelijker stoet, een stel mannen die in het gelid lopen. Ze bekijken ons, een ordeloze, losgeslagen troep, aandachtig. In het eerste gelid van 'dit legertje' (dacht ik, vanwege de rust die ervan uitging en de vastberaden maar trage manier van lopen) herken ik mijn broer, Alaoua.

Hij komt naar me toe; zwijgend kijkt hij naar het bijltje in mijn hand. Met een onverschillige blik, bijna als een rechter. Ik wend me af: met zijn arm laat hij me een keer om mijn as draaien en terwijl hij mijn wapen afpakt, fluistert hij, nu opnieuw op die vervelende, autoritaire toon: 'Heb je gezien hoe je eruitziet?'

'Wat...?'

'Kleine mafketel,' voegt Alaoua er heel zacht aan toe, 'kijk toch eens, je hele rug zit onder de rode verf...!'

Nu ontdek ik pas dat ik vol rode verf zit, helderrood, stel ik vast. Dat moet in de drogisterij gebeurd zijn, waar anders! denk ik. Voor Alaoua weer met zijn schare vertrekt, raadt hij me nog snel aan: 'Ga je eerst wassen en verkleden! Je hebt tijd genoeg om daarna op het grote plein naar ons toe te komen!'

Hij verdwijnt. Voor één keer heeft hij gelijk – maar het gevoel dat ik wel moet doen wat Alaoua me heeft aangeraden, maakt me razend: waar ik woon is hier vlakbij; een steenworp, rennen, me wassen, me verkleden en zo gauw mogelijk weer terug...

Ik storm ons huis in de Blauwstraat binnen en ben binnen een halfuur klaar: ik douche me in het washok op het terras – tot ik al dat plakkerige rode spul van me afgespoeld heb – mijn zusje loopt heen en weer om me schoon goed te brengen, ik kam mijn natte haar tot het weer netjes zit, zorgvuldig (alsof ik, ik bekijk me in een hoekje van de spiegel, naar een bruiloft bij de buren moest). Ik vertrek weer van huis onder joejoe-geroep, waaraan ook mijn blinde grootmoeder meedoet die ik achter me ongerust hoor vragen wat dat voor roods is waar ze het over hebben...

'Is het heus verf? Geen bloed? Houden jullie niets voor me verborgen?'

Ik lach met haar in ongerustheid uitgesproken woorden nog in mijn oren, en haast me om me weer bij alle anderen aan te sluiten.

Maar het was alsof grootmoeder een voorgevoel had gehad: juist die rode verf beschermde me.

Vlak bij het plein stonden soldaten, politieagenten, troepen van de admiraliteit opgesteld, allen wachtten, en toen dat plein, dat zij het 'Gouvernementsplein' noemden, zich eenmaal gevuld had met die losgeslagen, teugelloze, opgewekte, spoedig daarna ontredderde menigte, toen begon het schieten.

Wat zo'n tien minuten doorging.

Geschreeuw. Achteruitwijken. Gevallen lichamen. Gewonden en stervenden en zij die wegvluchten, die terugdeinzen, die schreeuwen. Die nog steeds, nu op een andere toon, zingen: 'Algerije Algerijns!'

Daarna chaos. Opnieuw gedrang. De massa demonstranten zoekt naar alle kanten een goed heenkomen, verdwijnt langzaam in de straatjes, de steegjes, ongedeerden dragen gewonden weg of verlenen ze hulp. Zaak is om politieagenten, die hen spoedig achterna zullen komen, voor te blijven... Maar ze zullen het niet wagen echt onze huizen binnen te dringen, zij niet, hun honden niet en hun collaborateurs niet.

Enkele uren later, kort voor het einde van de dag, gaan vrouwen, allen gebogen lopend, het hoofd in witte wollen doeken gewikkeld, naar het reusachtige plein toe, waar nog steeds streng toezicht wordt gehouden, ja, komen ze tastend de tegels afzoeken om te zien of ze tussen de lijken voor de één een zoon, voor de ander een echtgenoot herkennen.

Dankzij de rode verf, die ik, op bevel van mijn broer, zo snel mogelijk van me af was gaan wassen voor ik andere kleren aantrok, me bijna mooi maakte, werd ik zelfs niet met het bloed van anderen bespat; ook op mijn handen hoefde geen spat op te drogen! Ik, binnenkort vijftien, met het vuur van een onstuitbare opstandigheid in mijn aderen, dat steeds weer opvlamde zonder dat ik er echter iets mee kon doen, ik had voor het eerst van mijn leven én ontreddering, én vluchtende mensen gezien.

Onvergetelijke en huiveringwekkende gesprekken, als een onpersoonlijke voortzetting; overal om me heen en doelloos: 'Maar het is nog niet afgelopen, hè broer!'

'Laten we onze doden ophalen! Het is nacht, dan kunnen we onze doden herdenken!'

'Morgen, bij het aanbreken van de dag, gaan we verder, hè broer!'

'De Kashba zal zich present melden, tot morgen!'

Ja, ik luister, ik kijk, ik kan nauwelijks bevatten, en ik vind het bijna vervelend, dat ik noch tot de doden, noch tot de gewonden behoor; noch tot de mensen die wegvluchtten, ook dat niet. Ik keer langzaam, stilletjes, naar huis terug: al dat tumult, die hevige opwinding, die ontlading, zou het een droom zijn? Thuis staat mijn moeder in de deuropening, bezorgd, maar ze huilt niet.

Ze stelt mijn grootmoeder gerust: 'Alaoua leeft, waarschijnlijk houdt hij zich schuil! Berkane is net thuisgekomen, de Profeet zij geloofd!'

De vrouwen in huis houden zich stil. De hele nacht door wijzen ze elkaar op het terras nabije huizen waar uit de kaarsen die we er zien branden kan worden afgeleid dat er daar gebeden wordt voor doden of stervenden.

De volgende dag gaan de eerste getallen rond: vijftig tot zeventig doden, alleen al op het Paardenplein, honderden wat de hele stad betreft, een duizendtal slachtoffers die in andere steden in het land zijn gevallen.

In de Kashba duurde de rebellie een week: beslist minder gewelddadig, begon ze vanaf het aanbreken van de dag opnieuw, onder aanmoediging van het luide gezang van vrouwen op de witte terrassen – het leek aanvankelijk net een lofzang op de zee beneden ons – en in de bochtige of uit trappen bestaande straatjes roepen verspreide groepen steeds jongere jongens met de nadruk op elke lettergreep: 'Algerije Algerijns!' Woorden die je opeens niet meer loslaten, van obsessionele verbetenheid getuigen.

Alle scholen zijn gesloten; jongetjes leren de straat kennen, het bruisende straatleven in de drukke Kashba. In de hele Marengostraat houden de Europeanen hun winkels dicht. En in El Kettar buigen gesluierde oude vrouwen rond de open graven om hun eentonig gezang te laten horen, om langdurig te bidden voor ze zwijgend door het doolhof van onze smalle straten terugkeren.

Na een week keerde de schijnvrede terug, want er moest weer gewerkt worden! Alles wat in de Kashba tot het eenvoudige volk behoorde werkte in dagloon. Wie kon het zich veroorloven langer dan een week niet te gaan werken? Dus ging je met een bedrukt gemoed weer aan de slag!

3

Ik was toen dertien, of dertien en een half, denk ik. Mijn moed bijeenrapend, trillend van opwinding en mijn hand vol met de die dag vergaarde muntjes (ik verdiende al enkele maanden een kleinigheid met mijn stripverhalen), bedacht ik opeens dat ik, in plaats van het geld aan drie, vier kaartjes voor de Nedjmabioscoop uit te geven, nu misschien genoeg had om eindelijk als klant een van de 'niet nette huizen' die ik ontdekt had met een bezoek te vereren...

In twee, drie van die huizen werd ik gewaar dat 'vrouwen van lichte zeden' een gewoon leven leidden, bijna net als onze vrouwelijke familieleden: net zo'n oud huis, net zo'n eenvoudige binnenplaats. Wanneer die vrouwen de deur uit gingen om boodschappen te doen, hulden ze zich in dezelfde zijden of wollen sluiers als Algerijnse vrouwen, behalve dat je ze herkende aan de manier waarop ze af en toe hun been lieten zien, of hun sluier zo verschoven dat een groot deel van hun boezem zichtbaar was; bovendien maakten ze zich, net als Europese vrouwen, opzichtig op; ten slotte droegen ze gouden sieraden om hun hals of in hun haar, van 's morgens tot 's avonds. Kortom, zelfs wij, kinderen, wisten dat ze op onze buurvrouwen, op onze vrouwelijke familieleden leken, maar niet helemaal: de betreffende vrouwen bleven voor ons altijd herkenbaar!

Ze werkten, zo kwam ik veel later te weten, nagenoeg als zelfstandigen – en niet in bordelen. Ik zou haast zeggen ambachtelijk, omdat ze meestal maar één beschermer hadden die hen in hun eigen tempo liet leven, waarschijnlijk, werd er gezegd, omdat hij tegelijkertijd hun pooier en hun geliefde was.

En beslist ver voor mijn razernij in december '60, haastte ik me, bijna een kind nog, maar ik verdiende al een poosje mijn eerste eigen geld – op een zonnige ochtend – naar een van de 'niet nette' huizen, niet zo ver weg, bovendien, van onze Blauwstraat. Ik had (om mezelf te bemoedigen) een weddenschap afgesloten met twee jongens van mijn leeftijd die van mijn stoutmoedigheid waren geschrokken: 'Ja,' had ik in hun bijzijn besloten, 'ik ga erheen!'

'Als je gaat, beloof je ons dan dat je na afloop verslag zult doen?'

'Ik zal verslag doen!' antwoordde ik stellig, nog steeds om mezelf aan te sporen.

Ik rende in één ruk naar het huisje dat ik een week daarvoor ontdekt had. Als een volwassen man duwde ik de deur, die op een kier stond, in één klap open. Ik stoof naar binnen. Wat ik me heel duidelijk herinner, is een vrouw die op haar binnenplaats in de Kashba staat, nog half gebogen over een bakje, voor een fontein, en die zich, verrast door mijn binnenkomst, maar glimlachend, omdraait.

'Wat is er van je dienst?' vraagt ze doodkalm.

En ik strek, zonder in de war te raken, mijn arm naar haar uit, steek haar mijn hand vol muntjes toe, mijn hele bezit!

Ik weet niet meer wat ik mompel, maar ik maak de beweging nog eens. En de glimlach van de vrouw wordt anders: deze keer schijnt ze het heel vermakelijk te vinden.

Ik raak niet van mijn stuk: ik blijf met mijn arm uitgestrekt voor haar staan. Ze zal het toch eens gaan begrijpen. Ondanks het tijdstip, het is nog wat vroeg in de ochtend, zal ze toch wel zo goed zijn me als een klant te beschouwen!

'Hoe oud ben je?' luidt haar volgende vraag, nog steeds met een glimlach om haar mond; maar ik zie niets meer: opeens ben ik heel bang dat ze me de straat weer op zal sturen!

'Ik ben vijftien!' antwoord ik waardig. Maar zij zegt, hoe dan ook geamuseerd, opeens plagerig: 'Is het niet eerder elf, nou?'

Ik houd haar vertwijfeld mijn muntjes voor.

'Ik weet het, ik weet het,' zegt ze, 'je hebt vast genoeg!'

Haar handen zaten nog steeds in het water: want ze deed heel gewoon haar wasje, waar ze nu bijna klaar mee was. Ik herinner me de tegelvloer op haar binnenplaats: baksteenrood, met enkele tegels waar wat barsten in zaten, en in een hoek een tweede kraan.

Toen droogde ze haar handen met een beweging die me altijd is bijgebleven: ze draaide haar handen in de lucht van links naar rechts en andersom alsof ze in het zonlicht een soort dansfiguur uitvoerde. Er vlogen opeens glinsterende waterdruppels door de lucht die in spetters tussen ons neervielen en de vrouw barstte op bijna moederlijke wijze in lachen uit.

'Nou goed,' zei ze, alsof het haar niet echt kon schelen, maar vriendelijk, 'als wat je bij je hebt genoeg is en je inderdaad vijftien bent, kom op dan schatje, kom op!'

Ik liep met haar mee naar een vertrek waar het heel donker was: heel donker en heel koel, voor mij, wiens ogen nog verblind waren door de zon buiten. Met haar rug half naar me toe en op achteloze toon voegde ze eraan toe: 'Leg wat je hebt meegebracht maar op het kastje!'

Ze telde het niet na, de vrouw. Ik ben ervan overtuigd dat ze opeens de spot met me dreef. Ze had door dat het voor mij, een jongen van dertien of vijftien, wat deed het ertoe, voor het eerst was. Ze liet me, die zonnige ochtend, in haar 'niet nette' huisje, mijn onschuld verliezen.

Ze wijdde me in, ja, te snel, maar, zo heb ik de indruk, op goedige wijze.

Ik vertrok zo gauw mogelijk: mijn beide maten wachtten op

het marktpleintje op me. Ik had geen zin ze ook maar iets te vertellen; niets wilde ik vertellen! Het was, denk ik, tegelijkertijd heel laag-bij-de-gronds, heel eenvoudig en in zekere zin verwarrend, te veel ineens, ja!

Nu heb ik het gevoel (misschien vanwege die eenvoudige vrouw die in de zon, op het binnenplaatsje, haar vingers liet uitdruipen voor ze me haar slaapkamer binnenliet) dat ik in seksuele relaties altijd iets van mijn onschuld behouden heb. Misschien, op mijn manier, uit trouw aan die leermeesteres in de Kashba, ik in korte broek, en vanwege haar glimlach, ja, haar glimlach, ik zou haast zeggen, haar goedige glimlach.

4

Ik spring in dit verhaal over de jaren dat ik heel erg veranderde van de hak op de tak; het was een overgang naar wat, een verandering tot wat? Wat ben ik in die periode echt voor iemand? Dertien, dertien en een half was ik, ik had de zorg voor een gezin, daarom werkte ik als leerling-typograaf en bovendien was ik vermetel genoeg om bij die 'vrouw' binnen te stappen van wie ik nooit de voornaam heb geweten, die me voorzichtig inwijdde, zodat ik toen ik zwijgend bij haar vertrok diep in mijn binnenste iets van droefheid meende te voelen, maar voortaan ook een geheim met me meedroeg.

De tijd gaat voorbij; de betogingen van december '60 barsten los, en deze andere inwijding, nu die in collectief geweld, onderging ik als een onaangename roes, anders dan de eerste, geheime: blik, en handen, en de huid van een vrouw dichtbij, heel dichtbij, terwijl er van de woede-uitbarsting van de mensenmassa en van haar razernij nadat het doek gevallen is niets anders overblijft dan door de wind vervormde gezichten en maskers...

Wat steek ik op van deze eerste ervaringen? Ik was geen kind meer en ook nog niet echt een jongeman. Een nog zoekende gedaante, nu eens in de groep waarmee ik me verbonden voelde, dan weer helemaal in m'n eentje, naar de schoot van een onbekende vrouw toe bewegend, terwijl de onrust door mijn onervaren lichaam blijft jagen.

Wat steek ik op van die eerste, bijna blindelings gezette stappen? Plotseling komt alles tot uitbarsting, breekt de dijk door: je wordt meegesleurd of je gaat er zelf vandoor! Hoewel ik zoals het een puber betaamt veeleer worstelde met mijn onevenwichtigheid dan dat ik besefte in een overgangsfase te zitten, was die breuk voor mij werkelijk binnen een paar maanden een feit: vanaf december '61.

Deze keer zijn het geen spontane nationalistische betogingen. Twee, drie weken ervoor roepen het FLN, dat aan kracht heeft gewonnen, en de stem van Radio-Caïro of Sou't el Arab (de Stem van de Arabieren), waar elke avond in elk huis naar wordt geluisterd, ons op de eerste herdenkingsdag van de doden van december '60 niet onopgemerkt voorbij te laten gaan.

In de Kashba worden, meer dan elders, voorbereidingen getroffen. Ik zag me al dagen en dagen van tevoren als een held, als een leider of, bescheidener, als een demonstrant in het voorste gelid met blote handen en ontblote borst tegenover de soldaten staan en dood neervallen (alsof ik van plan was post mortem, in het moslimparadijs van de martelaren, van mijn eigen roem te genieten!)

Kortom, die aanstaande ontlading, ik wacht er met onvervalst romantische geestdrift op: een manier om de sleur van het werk op de drukkerij te doorbreken (met het verkopen van stripverhalen aan analfabeten in mijn wijk was ik opgehouden omdat ik het plotseling kinderachtig had gevonden!).

Zal 11 december voor mij dus opnieuw een belangrijke dag worden? Het draaide echter uit op het tegenovergestelde, ook al werd er door mijn arrestatie die plaatsvond zonder dat ik hem verwacht had een stempel op gedrukt. Ik werd, ik mag wel zeggen op een stomme manier, gearresteerd vanwege mijn haast en, dat dringt nu pas tot me door, ook al is het zo veel later, vanwege mijn domheid: misschien zelfs vanwege mijn ijdelheid, namelijk die van een te snel groot geworden mannetje! Als ik me goed herinner, zag ik mijn broer Alaoua, die het ouderlijk huis zo veel mogelijk ontliep, toen nauwelijks meer, waarschijnlijk omdat hij weer deel uitmaakte van clandestiene groepen die in de loop van '61 opnieuw gevormd waren.

Aan mijn lot overgeleverd, geef ik dus letterlijk gehoor aan de oproep van radio Sou't el Arab: 'Herdenk de doden van 11 december '60!' Ik zie mezelf het huis verlaten met, om zo voorzichtig mogelijk te zijn, een opgevouwen vlag onder mijn jasje: zorg dat je de eerste bent, dacht ik, om de anderen bij elkaar te roepen, maar ver van huis: zodat geen soldaten het huis zullen binnendringen en de vrouwen in ieder geval met rust gelaten zullen worden!

Overigens laat deze keer niemand van de moeders en meisjes bij ons thuis vooralsnog hun uit joejoe-geroep bestaande levendige koorzang horen: op de terrassen heerst nog stilte.

Misschien was ik die ochtend wel een van de eersten in de Staouélistraat: ik haal dus mijn vlag tevoorschijn en begin de tafeltjes met koffiehuisbezoekers toe te spreken: 'Vooruit, kom overeind, jullie! We mogen de martelaren van afgelopen december niet vergeten!'

En ik zet mijn oproepen voort met leuzen voor de onafhankelijkheid. Zo gaan er vijf, tien minuten voorbij: tegenover me, geen enkele reactie. De klanten op hun stoelen kijken nogal angstig naar me. Ik wil ze net op hun nummer zetten als ik mijn hoofd half omdraai en het begrijp: slechts een paar meter achter me staat een patrouille Franse soldaten te wachten om me in mijn kraag te vatten!

Ik laat de vlag – niet erg roemvol – in de goot vallen en zet het op een lopen. Ik ken de wirwar van straatjes bij ons: ik sla een hoek om, en nog een, ik krijg het oude huis in het oog, praktisch naast het onze, waarvan ik weet dat je er aan twee kanten in en uit kunt. Ik ren naar binnen: op de binnenplaats: vrouwen rond de lage tafel. Een van hen groet me opgewekt: 'Hallo, Berkane!'

Ik heb gezien waar de trappen zijn om op het terras te komen. Ik storm naar boven. Met veel lawaai zijn de soldaten binnengekomen: ze zoeken in de kamers, maar ik ken het huis.

Ik ben al daarboven, buiten, ik zie de weidse hemel: bijna vrij. In een hoek van het terras neem ik een aanloop om op een ander terras te springen. Helaas, een reusachtige herdershond – die me als eerste op de trap achterna kwam – rent net zo hard als ik, zet zijn tanden in mijn rechterpols en laat me niet meer los, laat me een draai maken: terwijl ik die halve slag maak, staat er ook meteen een hijgende soldaat naast me die me alleen nog maar de handboeien hoeft om te doen terwijl hij tegelijkertijd de hond dwingt me los te laten.

'Kom, kom, knulletje', zegt de Fransman ironisch en bijna goedmoedig. 'Kijk toch eens hoe breed de straat wel niet is: we hebben je zojuist het leven gered!'

En het was waar...! Zelfs als ik aan springen toe was gekomen, hadden ze van het ene naar het andere terras zo op me kunnen schieten.

'We nemen hem mee!' roept een tweede soldaat naar degenen die, op de binnenplaats, de vrouwen onder schot houden – die, zo weet ik, meteen mijn moeder op de hoogte zullen stellen.

'De para's', zo zullen ze haar even later vertellen, 'hebben hem niet ver meegenomen maar hem aan de harki's in de Mont Thaborstraat overgedragen!'

Want daar hadden de harki's na de 'slag om Algiers' hun intrek genomen in een gebouw dat algauw bekendstond als een nogal vreeswekkend martelcentrum. Het waren voor het merendeel vrijwilligers afkomstig van ver buiten de stad: het was alsof ze oude rekeningen vereffenden – het kwam in hoofdzaak neer op het wraak nemen voor gekwetste eigenliefde, een vernedering waarvoor ze de bewoners van de Kashba verantwoordelijk meenden te moeten stellen.

Wat mij aangaat, ik herinner me vooral de manier van praten met veel keelklanken van een van hen die steeds weer, natuurlijk in het Frans, tegen me zei: 'Dus jij, hoerenzoon, jij wilt Frankrijk uit het land weg hebben!'

Zijn verontwaardiging scheen nog oprechter dan zijn minachting vanwege het feit dat ik zo jong was. Ik hoor nog de ernst in zijn stem, die me van overdreven eerbied leek te getuigen, en terwijl hij met nadruk op beide lettergrepen het woord 'França...! França!' uitsprak, kreeg ik in het donker een dubbele portie klappen: 'França!'

Ik ging als een naamloos iemand op mijn hurken tussen de andere gevangenen zitten.

Wachten, steeds in het donker: een dag, een nacht. Een paar woorden die ik met mijn metgezellen wisselde: ze konden me niets vertellen. De geur van stront, van pis... Waarschijnlijk ben ik ten slotte in slaap gevallen, vooral boos dat het 'feest', dacht ik, daarbuiten nu zonder mij werd gevierd!

In de vroege ochtend werd ik opgehaald door para's: tussen hen in loop ik weer naar boven.

'We nemen hem mee, deze!' Ik loop, streng bewaakt, met hen mee door de uit trappen bestaande omhooglopende straatjes. We begeven ons naar de Orléans-kazerne, achter de grote gevangenis.

Het lijkt rustig in de wijk! stel ik vast en ik betreur het dat ik niet weet hoe de herdenking verlopen is. Nog tien minuten lopen: glinsterende kinderogen, buren in de deuropening van hun huizen, die vervolgens stilletjes verdwijnen. Ik ben vol vertrouwen: spoedig zal mijn moeder bij haar voordeur de stem van een onbekende horen fluisteren: 'Je zoon leeft nog!'

In de Orléans-kazerne word ik naar de kelders gebracht, waar het nog drukker is. Een menigte gevangenen: onmogelijk wie ook van de mensen te zien. En opnieuw de geur van uitwerpselen;

toch staan er voor de deuren blikken bussen. Opsluiting, hier, een soort roerloze lijdelijkheid van de lichamen; en vrijwel geen gezucht. Nauwelijks gefluister of enig gereutel. De nacht lijkt een eindeloze gang. Bijzonderheid: opeens muziek; maar ook geschreeuw, heel hard, heel ver weg...

'Klassieke muziek', zucht iemand naast me die ik niet kan zien.

'Om het geschreeuw van de gefolterden niet te horen', verduidelijkt een uitgeputte stem vlakbij.

'Horen doen we ze toch!' fluistert een derde stem.

Schimmenrijk. Waarom laat ik dit alles herleven, dat eindeloos in de troep zitten, de traag voorbijkruipende, angstige uren, de stank, die reusachtige spelonk waar het overal donker is, waar gevangenen wankelend worden weggevoerd, worden teruggebracht als stille en reutelende wrakken? Opnieuw schalt er, bij flarden, muziek.

'Klassieke muziek', zegt dezelfde nabije stem van een onbekende nog eens: een zachte stem.

'Franse muziek', verbetert een ander; daarna pakte deze laatste spreker in het donker mijn hand en liet me zijn mond betasten: geen voortanden meer en opgedroogd bloed...

Schimmenrijk: twee dagen, drie dagen; eindelijk ben ik aan de beurt! Mijn naam wordt gespeld, alles in het donker. Ik ben opgelucht: het wachten begon ondraaglijk te worden.

Drie, vier verhoren, maar ik zou niet weten hoeveel uren er elke keer voorbijgingen. Ontkennen, alles ontkennen. 'Een vlag?' Die had ik net van de grond opgeraapt: door iemand anders neergegooid. 'Ik wilde hem net bij het afval doen!' Rende ik weg? 'Nee, ik sloeg niet op de vlucht; ik was alleen maar bang voor de hond!' Wilde ik springen? 'Ja, natuurlijk! Nog steeds vanwege die reusachtige hond! Ik werd gek van angst...' Mijn vader gearresteerd? 'Ik weet echter niet waarom, vast een vergissing!' Mijn broer? 'Maar is dat niet duidelijk! Vrijgelaten, snapt u, ze hebben hem vrijgelaten! Het bewijs dat het een vergissing was!'

Ondanks de klappen, en in afwachting van de foltering, tegen elke logica in, de idioot spelen, want ik gedroeg me die dag als een idioot! Koppig volhouden. Niet opgeven! Ik weet niets. Ik ben maar een eenvoudige leerling-typograaf. Je meent het; ik meen het: mijn moeder en mijn zusters moeten het van mijn werk hebben! Dat duurde misschien twee, drie uur. Door de klappen voel ik mijn gezwollen gezicht niet meer; mijn ribben, mijn hoofd doen pijn, maar ik kan nog wel wat incasseren; ik heb een harde opvoeding gehad, bedankt, lieve broer Alaoua!

Het is oorlog: ze doen hun werk, die huursoldaten. Ik onderga het. Vooral niet nadenken.

Al die tijd besef ik dat wat ik meemaak alleen maar een voorproefje is: de rest moet nog komen: grote angst, natuurlijk, elektrische stroom, de plank voor mijn naakte lichaam, het water dat mijn buik zal doen zwellen, en spoedig komt dan de 'klassieke' muziek, vertelde een metgezel, schreeuwen, jezelf niet horen schreeuwen, dan gaat het beginnen: de pret. Hun pret!

Het is opnieuw een inwijding: lichaam-steen, lichaam-muur, lichaam-sloot en turf, het lichaam als een blok, dat weerstand biedt, het stille en stugge lichaam en niet stuk, het biedt weerstand en zij gaan onvermoeibaar door... Niet nadenken. Ze doen hun werk! En jij, jouw werk: volhouden! Dat is alles. Je moet er even doorheen...

Misschien kom je er niet weer uit, misschien keer je niet terug uit die duisternis, de vrouw in haar donkere slaapkamer, wat was ze lief... De Kashba! El Djezaïr... Mijn vader, ze trokken hem tand na tand uit: hij liet niets los. Mijn vader, ze martelden zijn zoon Alaoua voor zijn ogen: hij liet niets los! Ik, ik heb niets te zeggen. De inwijding begint: tot de pijn komt, tot ze je vel afstropen, tot je geen lucht meer krijgt...

Wat moet ik anders over die drie, vier verhoren vertellen dan dat het niet moeilijk is hetzelfde onwaarschijnlijke, niet erg geloofwaardige verhaal te herhalen, steeds weer te herhalen, maar toch heb je op den duur geen stem meer over, of net genoeg om te schreeuwen, vervolgens ga je over een drempel waarna je zelfs je eigen geschreeuw niet meer hoort. Dan zie je het alleen nog: op het gezicht van degenen die aan het werk zijn (want folteraar zijn, dat is lang, uitputtend, onvermoeibaar werken): je ziet je geschreeuw, het lawaai waarmee je je pijn uitschreeuwt, de eenduidige en monotone muziek van je gebrul, en dat alles in de ogen en aan de grijns van degenen die, af en toe in je pus en je braaksel, je lichaam aan het pijnigen zijn!

Dus drie, vier verhoren: langdurig, zonder dat je in de gaten hebt hoe lang het duurt, of het nog steeds doorgaat of dat het is gestopt, misschien vanwege die muziek, heel hard, waarschijnlijk iets van Beethoven of van Wagner, denk ik nu, maar onontwikkeld als ik in die tijd was, zou ik alleen de luit van mijn moeder en mogelijk een gitaar thuisgebracht hebben. Van al die luide drukte is me maar één kleinigheid bijgebleven, die af en toe weer opdook, deze afgelopen dertig jaar waarin ik er evenwel niet over schreef: er vooral niet over schreef, schrijven over pijniging, wat heeft het trouwens voor zin vanuit de gepijnigde over pijniging te schrijven? Misschien vanuit de folteraar, de stakker die zich afbeult, die zweet, die dingen moet verzinnen... Maar vanuit de gepijnigde? Vlak na de oorlog hebben mijn landgenoten uitvoerig verslag gedaan van de ondergane mishandelingen, verklaringen afgelegd, ik weet het, waarschijnlijk omdat ze het geweten van mensen wakker wilden schudden...

Alsof dat enig nut had? Alsof martelen niet tot de regels van het spel behoorde: bij ons in de Kashba weten we er alles van! Zo is het altijd gegaan, vanaf de gebroeders Barbarossa en andere zeerovers. En we hebben een getuige, een belangrijke, een Spanjaard die als eerste over mijn wijk schreef: Cervantes.

Voor ons in de Kashba levert martelen geen problemen op: er zijn mensen die standhouden en er zijn mensen die niet standhouden. Twee categorieën: helden (echte smeerlappen soms, maar helden) en niet-helden. Nee; niet eens! Soms denk je –

uitzonderingen daargelaten natuurlijk – dat het vaak alleen maar een gelukkig toeval is. Moed ook; maar meer niet!

Ik ben een zoon van de Chaoui-stam en bij de Chaoui's uit het Aurès-gebergte is, meer nog dan bij andere Berbers, 'moed' in zekere zin een vorm van koppigheid. In de oorlog komt dat goed uit, dan is het een goede eigenschap! Maar voor de rest van het gewone leven is koppigheid niet altijd leuk, je komt er nauwelijks verder mee!

Ik schrijf hier op wat ik dacht toen ik die hel die de Orléanskazerne was verliet. Natuurlijk doorstond ik de martelingen: maar laten we eerlijk zijn, welke staatsgeheimen, ik was zestien, had ik kunnen onthullen, nou? Ik wist niets: ik wilde betogen, meer niet, en tegen França, zoals de harki zei.

Van dit ondergaan van puur lichamelijk lijden is me, vreemd genoeg, een puur visuele kleinigheid bijgebleven die ik wil beschrijven, die het bijzondere van mijn lijdensweg uitmaakt.

Tijdens de eerste 'strenge' behandeling die ze voor me in petto hebben, leggen de beulen (moet je ze wel zo noemen, die lui die tot dat moment niet meer dan soldaten waren?) na mijn weinig geloofwaardige verhaal heel laag een plank klaar waarop ze me weldra zullen neerleggen; ze laten stalen voorwerpen door hun handen gaan. Al heb ik na de klappen en schoppen overal pijn, ik kijk, ik kan me er niet van weerhouden met een van louter nieuwsgierigheid begerige blik te kijken: nu bevind ik me dus midden in het drakenhol!

Ik word naakt neergelegd. Degene die me de vragen stelt blijft naast me staan: hij lijkt opeens reusachtig groot. Twee van zijn collega's beginnen met loden staven op mijn ribben te slaan en ik probeer me met mijn handen te beschermen, me iets om te draaien, maar tevergeefs... Dat ik dit moment iets uitvoeriger beschrijf komt door de vierde van mijn beulen: hij staat met zijn handen als een kom tegen elkaar die hij vlak boven mijn hoofd houdt, alsof hij klaarstond voor een offerande. Zo staat hij daar als een standbeeld. Maar waarom? De volstrekt absurde gedachte komt bij me op dat hij, met zijn vlakke handen tegen elkaar nog steeds boven mijn hoofd, elk moment een gebed kan gaan uitspreken, maar waarom en voor wie? Zodat, terwijl ik keiharde slagen op mijn ribben moet verduren, deze celebrant mijn gedachten in beslag blijft nemen. Mijn verhoor duurt niet lang. Zodra de klappen op mijn blote bovenlichaam zo ondraaglijk worden dat ik het op een schreeuwen zet, gaan de handen van de vierde (de geheimzinnige man) iets uiteen om in mijn schreeuwende mond een langgerekt straaltje fijn zand te laten vallen waardoor ik bijna stik.

Het is een afschuwelijk moment! Dat zeer fijne zand dringt diep mijn lichaam binnen. Ik schreeuw; mijn ogen lijken uit hun kassen te puilen; de anderen slaan: hoe harder ik schreeuw, hoe meer zand overal binnendringt, ik voel het tot in mijn neus. Terwijl ik probeer lucht te krijgen, regent het nog meer slagen. Ik weet niet naar welke kant ik me om moet draaien. Ik heb een gevoel alsof ik mijn darmen uitspuug!

Alles houdt even op. De ondervrager begint weer: 'Nou, heb je nu iets te zeggen? Vertel je wie je die vlaggen heeft gegeven, wie...?'

Ik kom weer op adem; ik blijf bij mijn antwoorden. De behandeling gaat verder, met de twee die op mijn bovenlichaam slaan alsof het een trommel was, de ander boven me die zijn zand laat lopen, en het is geen honingwater, o nee, ik word opnieuw gekweld door die merkwaardige benauwdheid, die mijn hele lichaam binnendringt en me verstikt, al de tijd dat ik door blijf schreeuwen, al de tijd dat ik dat uit zand bestaande honingwater door blijf drinken...

Het duurde voort en het duurde voort: werd degene die in het begin leek te bidden het eerst moe? Misschien. Hoe dan ook, zijn rol van stille figurant die echter steeds weer zijn zand verstrekte als een straaltje goud voor een dorstige keel, blijft in mij verankerd liggen als een stil en geraffineerd ceremonieel ten dienste van de wreedheid. Een bijzonder subtiele kwelling, dacht ik, nog maar half bij bewustzijn, toen hij eindelijk ophield.

In de loop van de decennia daarna kwam altijd alleen dat beeld weer boven, laat ik het zo noemen: 'de fijnzand-offerande', het bewoog heen en weer te midden van mijn herinneringen als een nauwelijks voorstelbare choreografie. Dusdanig dat ik op een dag een tekening van het viertal maakte: twee slaven, halfnaakt, slaan een geketende veroordeelde die op de grond ligt; een derde, naast hem, stelt hem vragen – net als in de Middeleeuwen – maar bovenal, als een reusachtige en geheimzinnige gestalte, een man in het zwart, die zijn handen tot een kom heeft gevormd waaruit hij dat fijne en gele zand in de wijdopen mond van de gefolterde laat lopen.

Ik had voor Marise een haastige tekening van dit tafereel gemaakt, tijdens een van haar toneelrepetities, terwijl ze even uitrustte. Alsof die voorstelling van een marteling een schouwspel zou kunnen worden, laten we zeggen een vrijblijvend toneelspel met volwassenen en kinderen, of aanleiding zou kunnen geven tot een vermakelijk toneelstukje in één akte waarbij zowel gemusiceerd als gedanst wordt.

'Wat stelt die tekening toch voor?' vroeg Marise nieuwsgierig.

'Niets', zei ik. 'Ik ben een... divertimento aan het bedenken. Met één danser, de figuur die zand drinkt, om het al dansend weer uit te spugen...'

'En wat voor tekst komt erbij?' vroeg Marise verder.

'De gefolterde schreeuwt, logischerwijs, met horten en stoten, maar dat kun je op muziek zetten: heel korte, heel doffe trommelslagen voor de klappen. Gevolgd door een geruis, dat van stromend zand, ik ben er nog niet achter wat daarvoor het meest geschikte instrument is...

Mijn vriendin kijkt me sprakeloos aan, vraagt zich vaag af wat ik probeer haar te zeggen: misschien doen ze zo met slaapwandelaars die tastend hun weg zoeken, dacht ze.

'Het is niet iets wat ik verzin om de tijd te verdrijven!' gaf ik voor, om haar ertoe te bewegen gauw weer aan het werk te gaan, zodat ik me nog even met enkele van mijn geestverschijningen kon bezighouden.

Ik was niet van plan Marise te vertellen hoe ik op het idee van dat tafereel gekomen was: wat een indruk zou ik niet gemaakt hebben als ik mijn Franse vriendin had meegedeeld dat het raffinement van deze kwelling geheel en al uit Franse koker kwam? We hadden het in die tijd heel fijn samen, Marise en ik! Mijn beproevingen als jonge jongen zouden haar waarschijnlijk geroerd hebben en ik weet niet zeker of ik dat wel prettig zou hebben gevonden!

5

Het eerste kamp waar ze me zo'n twee weken later naartoe brachten, lag niet ver van Algiers: het zogeheten 'Beni Messous-kamp' waar ik tussen meer dan zevenhonderd andere gevangenen belandde, deed dienst als sorteercentrum voor degenen die zojuist in Algiers waren verhoord en niet aan justitie werden overgedragen.

De jongeman die ik aan het worden ben deelt zijn slaapplaats, daar in Beni Messous dus, met minstens tweehonderd tot tweehonderdvijftig personen. De inrichting in elk van de barakken is summier: niettemin, vergeleken bij de vorige 'onderkomens' is het er bijna gerieflijk! Hier slapen we niet op de grond maar op een plank – één vlak boven de vloer, een andere een eindje daarboven – deze opstelling zet zich over de hele lengte van de ruimte voort: zo kunnen er vijftig mensen liggen, kop aan staart en aan beide kanten. Fantastisch!

Elke gevangene heeft recht op een deken: hij mag zelf kiezen of hij erop of eronder wil slapen. En wat een luxe, denk ik: eindelijk zijn er toiletten, buiten, dicht bij de deuren, en er is een fonteintje.

Na de avondklok, die om zes uur ingaat, mogen we niet meer op de binnenplaats komen. In de uitkijkposten gaat het licht aan.

Beslist, het kost me weinig tijd weer mijn draai in het gemeenschapsleven te vinden en in een ritme te komen: het appèl, heel vroeg, daarna de koffie die we uit een volle blikken bus gaan halen. De gevangenen lopen zoals ze zelf willen de binnenplaats rond; 's middags krijgen we ons rantsoen en 's avonds idem dito. En dan is er nog de Franse driekleur die midden op de binnenplaats wappert en die om vijf uur met een hoop ceremonieel wordt neergelaten.

Ik kijk; en ik zie nieuwe dingen. Zo komen er elke dag mensen bij; na de formaliteiten waaraan elke nieuwkomer zich dient te onderwerpen, wordt hij opgewacht omdat men wil weten waar hij vandaan komt, of hij na het verhoor is afgetuigd, of hij er liever niet over praat.

Wanneer nieuwkomers zich bij ons voegen, vindt er een heel ritueel plaats van gebaren waarbij niet gesproken wordt, dat ik in de gaten houd en dat ook bij mij is uitgevoerd. Twee kameroudsten zijn ermee belast de nieuwe welkom te heten: in de deuropening wordt niet gesproken, wel strijkt een van de twee met zijn vingers over zijn lippen. Het is een vorm van ondervraging: een 'wie ben jij?'.

Allen kijken wat zijn reactie zal zijn: of hij wrijft demonstratief over zijn voorhoofd – allen vertalen: 'ik ben van het FLN' – of hij strijkt mogelijk langdurig over zijn kin, alsof hij een baard had. Allen begrijpen: hij is dus van de MNA, de rivaliserende nationalistische tak waarvan leider Messali een baard draagt.

Wat mij aangaat, bij mij was het over mijn voorhoofd wrijven. Al heel jong, zelfs al voor de slag om Algiers, meteen de eerste oorlogsjaren kwam ik erachter dat het er bij de afrekeningen in onze wijk meedogenloos aan toe ging. Uiteindelijk had het FLN de overwinning behaald, net als in de hele rest van de hoofdstad.

Op mijn slaapzaal is maar één gevangene die gezegd heeft dat hij tot de MNA behoort. De reactie was simpel: hij wordt doodgezwegen. Hij blijft dus stil, maar hij maakt een kalme indruk; niet gespannen, alleen maar in zichzelf opgesloten. Ik sla hem dikwijls gade: hij heet Mourad; meer weet ik niet van hem. Wat doet hij om het vol te houden? denk ik.

Tot de dag waarop ik, volgens de regel, corvee heb, dat bestaat uit aardappels schillen, samen met drie andere gevangenen, onder wie Mourad. Ik krijg dus heel direct met Mourad te maken, een vertegenwoordiger van de nationalistische groep waarvan de leden door mijn hele omgeving in de Kashba werden uitgemaakt voor 'afvalligen'.

Niemand had me tot dat moment verteld dat hun leider, Messali, in de jaren twintig een voorganger was geweest, de beroemde oprichter van 'onze' politieke onafhankelijkheidsbeweging. Ook zou niemand in staat zijn geweest me het waarom uit te leggen van de indeling in kleine en grote 'leiders' die na '45 was gemaakt... De waarheid bestond maar uit één ding en was heel eenvoudig: de stoot tot 1 november '54 was gegeven door het FLN... Allen die geweigerd hadden deze beginnende opstand te ondersteunen, waaronder de MNA, waren 'verraders'!

In weerwil van mezelf oefende het zwijgen – en ik zou haast zeggen de waardigheid – van deze Mourad een bepaalde aantrekkingskracht op me uit. Hoe kon je, zo dacht ik in mijn naïviteit, zo rustig blijven, de godganse dag omringd door een menigte gevangenen zoals wij? Hij lijkt in een gevangenis te leven die midden in de gevangenis staat waarin wij zitten! Ik bespiedde hem in de loop van de dag een aantal momenten: hij lijkt bijna gelukkig, zo helemaal in z'n eentje. En nu zat ik dan opeens met een mes in mijn hand met twee anderen, nauwelijks ouder dan ik, tegenover hem aardappels te schillen. Ik schil, ik kijk: hij verricht zijn werk alsof hij met zijn gedachten elders is, maar in alle rust. Opeens kan ik mezelf niet langer inhouden; ik ga rechtstreeks in de aanval: 'Jij zit toch bij de MNA, is het niet?'

Hij kijkt me aan, glimlacht, knikt bevestigend, zegt niets. Zijn onverstoorbaarheid maakt me woedend. Ik roep, met mijn hand met het mes in de lucht: 'Hoe kun je Messali, een verrader, als leider aanvaarden?'

Hij kijkt me met een spottend lachje aan; op kalme toon verwaardigt hij zich te antwoorden: 'Zo noem jij hem! Wat Messali aangaat, daarover zal alleen de toekomst kunnen oordelen!' (Om preciezer te zijn, in het Arabisch heette het: 'Alleen de toekomst zal de waarheid onthullen!')

'De toekomst! *El moustaqbal...*!' ga ik in twee talen verder.

Omdat ik in geen van beide talen iets tegen dat argument betreffende 'de toekomst' weet in te brengen, neemt mijn woede toe.

Ik ga staan; ik draai me om naar de anderen. Ik spring op Mourad af die geen weerstand biedt, die me laat begaan: ik heb het mes immers nog steeds in mijn hand.

Ik gooi de man op de grond, hurk neer, kijk hem recht in zijn gezicht. De beide anderen komen om me heen staan. Mourad laat het gebeuren, geeft geen krimp. Ik zet een knie op zijn borst en grom: 'Zeg: "Messali is een verrader!"'

Ik herhaal het ultimatum nog eens. Ik raak verhit. De anderen hebben hem eveneens vastgegrepen. Ik zet het lemmet van mijn mes op zijn keel: zijn open ogen, zijn blik op mij, kalm, onbewogen... Ik ben razend maar voel me machteloos: 'Zeg het: "Messali is..."'

Zo veel later weet ik nog steeds niet waar mijn woede vandaan kwam: misschien was het alleen maar dat zijn kalmte me zo fascineerde. Tot hoever zou hij het laten komen? Ik geloof zelfs dat ik aanstalten maakte wat van zijn bloed te laten vloeien, natuurlijk maar een paar druppels, om hem even de dood in de ogen te laten kijken.

Plotseling gooit iemand die van achteren komt me omver, geeft me een klap, mijn mes vliegt door de lucht; ik word op mijn beurt tegen de grond gewerkt door een gevangene van dezelfde leeftijd als mijn slachtoffer, Brahim. Het is een van de kameroudsten. Mourad richt zich half op. Brahim houdt een woedende blik op me gericht. Hij scheldt me zacht uit; geeft me een tweede dreun.

'Idioot! Onnozele hals!' gromt hij.

Daarna draait hij zich om en biedt Mourad, die inmiddels opgestaan is, zijn verontschuldigingen aan: 'Neem ons niet kwalijk! Het is de nieuwe generatie: van politiek hebben ze geen enkel verstand!'

Mourad loopt ijzig kalm weg.

Brahim, naar mij en de beide anderen toegekeerd, licht in een paar zinnen toe: 'Mourad, knoop dat in je oren, is een patriot! Van zijn partij is hij de enige in ons midden, en wat dan nog?'

Daarna pakt hij me bij mijn kraag en zegt op de strenge toon van een schoolmeester: 'Stel jezelf eens gewoon deze vraag, knulletje: als jij in zijn schoenen stond, in een gevangenis vol met alleen maar gevangen leden van de MNA, zou jij, alleen en met een mes op je keel, dan sterk genoeg zijn geweest om niet te zwichten?'

Hij laat me los, kijkt me bedroefd aan, zijn woede is opeens gezakt, en op bijna vaderlijke toon zegt hij: 'Vergeet dat nooit! Verplaats je altijd in de ander! Draai de situatie altijd om, voor je oordeelt, voor je beslist!'

Daarna keert hij me abrupt de rug toe.

Zo kreeg ik mijn eerste les in politiek: de enige, in ieder geval, die ervoor zorgde dat ik nooit meer de nieuwbakken woesteling uithing zoals die dag...

6

Met betrekking tot dat Beni Messous-kamp was er ook nog 'de verwikkeling rond het groeten van de Franse vlag'. Het was een vaderlandslievende plechtigheid dat, in een gevangenenkamp dat onder gezag stond van Franse militairen, twee keer per dag een tiental soldaten en onderofficieren aantrad, 's morgens voor 'het hijsen van de vlag', en 's avonds voor 'het neerlaten van de vlag'. Deze gewijde formules schieten me bijna spontaan weer te binnen.

's Morgens, tijdens het hijsen van de vlag – na een langdurig signaal van een trompet – zijn wij, de gevangenen, nog in de barakken: de wachtrij voor de toiletten, voor de enige kraan waar we ons gezicht en onze handen kunnen wassen, voor de koffie uit de blikken bus enzovoort. Dat alles na het afroepen van onze namen tijdens het appèl – voor het geval dat er, ondanks het prikkeldraad, de uitkijkposten, de honden, iemand ontsnapt zou zijn...

Om vijf uur 's avonds, zodra de trompet nogmaals klonk, werd ons aangeraden op de plaats halt te houden. Niet de vlag groeten, ook al stond je er met de rug naartoe, maar in ieder geval stil blijven staan: niet provoceren! werd door oude gevangenen aangeraden.

Deze status quo functioneerde nagenoeg probleemloos tijdens mijn verblijf daarginds. Op die ene dag na, ik weet niet waarom! Een nieuwe of te ijverige leidinggevende onderofficier bij hen? Misschien pas aangekomen gevangenen die, ondoordacht, wegrenden zodra ze de trompet hoorden: wegrenden of juist integendeel ostentatief op de grond gingen zitten.

Zoveel is zeker dat de kampcommandant op een ochtend een nieuw reglement liet bekendmaken: die dag moesten alle gevangenen, niemand uitgezonderd, zich voor het neerlaten van de vlag in een kring of een vierkant, dat hing van de slaapzaal af, maar 'heel eerbiedig' opstellen en net als de soldaten, met de hand aan de slaap, salueren tot de vlag beneden was en het bevel 'ingerukt!' was gegeven! Kortom, de hele ceremonie.

Het was, herinner ik me, zo halverwege januari '62. Voor de derde keer werden er onderhandelingen aangekondigd tussen vertegenwoordigers van de Franse regering en van het FLN. De oorlog duurde al zeven jaar. Doet er niet toe, in dit kamp had ieder van de zevenhonderdvijftig Algerijnse gevangenen een paar uur om te beslissen of hij zich naar deze plechtigheid – iemand, herinner ik me, noemde het: 'deze provocatie' – zou voegen.

De hele ochtend roezemoesde het op de slaapzalen van de

verschillende discussies. Na de eerste les politiek die Brahim me had gegeven, week ik geen duimbreed meer van zijn zijde. Hij nam bij ons niet het woord, hij luisterde. 'Ik neem mijn besluit als laatste!' zei hij tegen me toen hij merkte dat ik hem volgde alsof hij een tweede vader voor me was, of een oudere broer zoals ik graag zou hebben gehad. Toch voelde ik aan dat voor hem alles al besloten was.

'Snap je,' zei hij tegen me, 'je moet ze laten kiezen overeenkomstig hun geweten! Die Franse officier weet heel goed dat het één minuut voor twaalf is. Hij wil sterk voor de dag komen!'

Nog nooit was Brahim zo spraakzaam tegen me geweest sinds die vermaledijde dag waarvoor ik me nu schaamde. Iedereen op onze slaapzaal deed z'n woordje.

'Ik,' zei er een (en iemand verduidelijkte me meteen dat de spreker tijdens zijn verhoor zwaar mishandeld was zonder een woord los te laten), 'dat nog eens, voor een voddenlap! Dat heb ik er niet voor over!'

Een ander maakte het groepje nieuwkomers het verwijt dat ze te ver waren gegaan met hun openlijke vlucht, elke avond, wanneer de vlag werd neergelaten. Aan het eind van zijn op geërgerde toon uitgesproken betoog ging hij overigens op Frans over.

'Je moet ze begrijpen', verduidelijkte hij. 'Ze voelen dat ze de oorlog verloren hebben! Het is een normale reactie van hun kant, alleen moeten wij nu verder met tact te werk gaan!'

'Ze ontzien!' grinnikte een derde wrevelig.

De discussies gingen eindeloos door. Het was duidelijk, het einde van de oorlog was nabij. Talloze gevangenen droomden er al van naar hun familie terug te keren. Het moment voor de definitieve beslissing brak aan: de gevangenen verspreidden zich over de binnenplaats.

Brahim bleef echter stil op zijn gebruikelijke plaats achterin zitten. Ik ging naar hem toe: 'Ga met de anderen mee!' zei ik zacht.

Ik keek hem strak en met een vragende uitdrukking aan.

'Ik,' voegde hij er na een stilte en op vastbesloten toon aan toe, 'ik ga hier niet vandaan! Dat heb ik vanochtend al besloten! Ze doen maar wat ze willen!'

Er verscheen iets van een glimlach op zijn gezicht.

'Ga, zeg ik je, doe zoals de anderen! Het is niet belangrijk deze keer!'

Terwijl ik me omdraaide en naar de deur wilde lopen hoorde ik hem er vervolgens nog iets aan toevoegen: 'Snap je, beste jongen, voor mij zou het een vernedering zijn!'

Mijn hart bonsde want hij had me spontaan en in het Frans 'beste jongen' genoemd. Ik draaide me om, zag hoe hij op z'n gemak op zijn eigen plekje zat, met een strak gezicht deze keer.

Ik ging niet met de anderen naar buiten; ik voegde me niet bij hen om de Franse vlag te groeten. Ik wilde bij Brahim blijven. Ik wist niet zeker of hij mijn gezelschap zou aanvaarden.

Niettemin was ik echt benieuwd te zien wat er buiten zou gebeuren. Ik ging op de drempel van onze barak zitten, met mijn voeten buiten, alsof ik weldra zou zwichten en aan de vaderlandslievende ceremonie zou deelnemen. Tegelijkertijd draaide ik mijn hoofd zo dat ik in de kamer bleef kijken en hield ik mezelf voor dat ik op deze manier – half, o ja, helaas, slechts half – gemene zaak met Brahim bleef maken!

Uiteindelijk won mijn nieuwsgierigheid het.

Een paar minuten voor vijf, in de stilte van de winterse avondschemering zal dadelijk het signaal van de trompet weerklinken; en wat zie ik buiten? Minstens zevenhonderd gevangenen, kortom een leger schooiers, allemaal staande, niet stijf rechtop, nee, niet ordelijk opgesteld, eerder rommelig, en besluiteloos, maar toch staande! Allemaal, staande! Allemaal, behalve Brahim, die zichzelf heeft afgesloten, die weigert de 'vernedering', zoals hij het noemde, te ondergaan, hij, die ze weldra zullen komen halen, met schoppen voor zich uit zullen jagen, of op wie ze hun wapens zullen richten!

Ik zie de rij militairen al aankomen die, recht als tinnen

soldaten, naar het midden van de binnenplaats en naar de veelbesproken vlag lopen. De man met de trompet staat daar al: hij houdt zijn instrument bijna ongeduldig vast. Een onderofficier loopt tussen de rijen broeders door, want we noemden elkaar in dit kamp allemaal broeders, 'broeder', *ya khou.* Het soldaatje, dat overloopt van ijver, begint zijn werk: inspectie van de barakken... Ik maak me ongerust om Brahim; ik denk niet meer aan mezelf. Ik voel een kille huivering die me doet verstijven.

20 of 21 januari '62, bijna een halfjaar voor de onafhankelijkheid, maar van deze beslissende ommekeer was nog niemand zeker! Nog afgezien van het feit dat men in beide kampen, gevangenen en soldaten, heel goed merkte dat iedereen aan het eind was: het land, uitgeput, de politici doodop en van alle kanten aangevallen, de doden, geen enkele kans dat ze weer tot leven zouden worden gebracht!

Ik vertel dit nu dat tafereel in de zon me weer zo duidelijk voor de geest komt, van zevenhonderd gevangenen die er op een bepaalde manier wel de gein van inzien: drie minuten staan, een vlag die naar beneden komt, wat stelt dat nou voor, drie minuten, hè...? Alles welbeschouwd, bij andere gelegenheden kreeg je ook nog 'La Marseillaise' – dat lied, dacht ik, waarin wij voor één keer niet de moordenaars zijn! Het zou meer tijd gekost hebben met dat krijgslied van de Franse revolutie erbij. Nee, vandaag is het maar drie minuten! In de laatste fase van de oorlog moet je toch van drie minuten heldendom, onverzettelijkheid kunnen afzien!

Brahim had, zonder heftig te worden, tegen me gezegd: 'Voor mij zou het een vernedering zijn!' Brahim, als enige.

En mijn oplossing, vlees noch vis, wat stelt die dan voor?

Natuurlijk sta ik als jonge jongen op de uitkijk en ben ik o zo nieuwsgierig: wat gaat er gebeuren? Dat moet het geweest zijn, de jeugdigheid: niet het helder redeneren, niet de al star geworden principes, niet een gedachtegang waar tijd voor nodig is omdat zij eerst ontwikkeld moet worden. Gewoon, op de uitkijk staan, afwachten... Vol verwachting, zoals in de schouwburg, eigenlijk! Wat gaat er gebeuren?

Ik zit gedeeltelijk op de drempel van de barak: de benen buiten, maar af en toe naar Brahim kijkend. Brahim, roerloos, onwrikbaar als een sokkel. Ik, die kijkt. Die afwacht ook; opgewonden, maar ik wacht af.

Dat moet het geweest zijn, de jeugdigheid – niet de vastberadenheid, nog niet, niet de openliggende weg en de onomkeerbare stap je in te zetten voor de goede zaak, nog niet: voor even nog net ertussenin.

En in het kwartier dat volgde gebeurde het onverwachte.

Er loopt een ijverige onderofficier als toezichthouder tussen de rijen gelaten gevangenen door: tevoren heeft hij de trompetter een teken gegeven nog even te wachten. Niet ver bij hem vandaan oefenen minstens zo'n vijf, zes soldaten, in een kring rond de vlaggenmast, eveneens geduld.

Wachten dus. De onderofficier, die op deze manier de 'drie minuten' uitstelt, schijnt zijn collega's te willen zeggen: 'Je hebt niet elke dag zevenhonderd wilden tot je beschikking die eindelijk gehoorzamen, zich gedwee tonen, en bereid zijn de reglementaire groet – hand aan de slaap – te brengen terwijl ze toekijken hoe onze vlag langzaam in de ondergaande zon naar beneden komt... Een mooie overwinning!'

Nou ja, dat denk ik natuurlijk, vanaf mijn plek, en de onderofficier is ver weg, aan de overkant. Hij houdt halt, geeft een van de onzen te kennen: 'Rechter, die houding!' en een ander: 'Je jasje, breng dat eens in orde!' Een paar kleinigheden om te zorgen dat alle bijfiguren eruitzien als op een prentbriefkaart!

En ik zit daar nog steeds, maar bedroefd, en ik denk terwijl ik mijn kiezen op elkaar klem: Brahim heeft gelijk, wanneer je één keer toegeeft, ook al is het puur uit beleefdheid, geen pardon bij de gebieder: hij zal proberen je er helemaal onder te krijgen!

Plotseling gaat de onderofficier naar een gevangene toe die ik kan zien, een jongen van wie ik alleen de gestalte zie. Ik herken hem niet, hij is niet van mijn slaapzaal.

De Fransman staat nu voor hem. Hij schreeuwt: 'Groet de vlag!' En met de kolf van zijn wapen geeft hij hem een venijnige klap op zijn schouder.

De gevangene vertikt het: waarschijnlijk was hij aanvankelijk nog net bereid geweest zich met anderen in een rij op te stellen. Maar hun vlag groeten, nee! Daarop slaat de Fransman hem opnieuw met de kolf, twee, drie klappen op zijn arm. De man wankelt, dreigt te vallen, blijft nog net staan, recht zijn rug weer.

En brengt de groet niet.

De onderofficier slaat hem opnieuw en plotseling hoor ik hem brullen: 'Schreeuw tenminste! Dit doet toch pijn...'

De man wankelt even, schudt van nee.

Ik ging staan. Ik zette een paar stappen naar voren om het beter te kunnen zien, beter te kunnen horen. Anderen draaien zich naar het tweetal om: degene die geslagen wordt, degene die slaat.

'Ik beveel je te schreeuwen!' brult de soldaat met bijna overslaande stem.

De Algerijn, wankelend, stil. Wij allen volgen het steeds gewelddadiger wordende voorval ademloos: de Fransman brult en buiten zichzelf slaat hij deze keer met de kolf zonder weer op te houden. De arm van de man is gebroken: ik hoorde het gezamenlijke 'ai' van de kameraden om hem heen.

'Schreeuw! Dit doet toch pijn! Ik wil dat je schreeuwt, verdomme!'

We zien duidelijk dat de arm van de man er nu bij hangt alsof hij een slag gedraaid was: hij staat op het punt te vallen, hij zegt niets.

Zonder het in de gaten te hebben ben ik naar voren gelopen; in de rijen, waar ik nu vlak bij sta, is er enige beweging bij andere getuigen: één wil eropaf gaan; een ander houdt hem tegen...

Opeens komen er twee andere onderofficieren, gaan om hun collega heen staan, pakken zijn wapen af en lopen met hem weg. De gevangene is op zijn knieën gevallen. Er komen andere soldaten naderbij: twee met een soort brancard. Ze buigen zich over onze broeder, die nu op de grond ligt.

'Naar de eerstehulppost!' zegt de een, terwijl de onderofficier die razend van woede was al uit het zicht verdwenen is.

De tussenkomst van de andere onderofficieren heeft oproer voorkomen. We stonden met zevenhonderd man bij het neerlaten van de vlag. Er waren daar tien, slechts tien, gewapende soldaten. Had de confrontatie, die hysterie: 'Schreeuw! Ik wil dat je schreeuwt!' nog een paar minuten langer geduurd, dan waren de gevangenen, die zich tot dan toe niet hadden geroerd, in opstand gekomen.

Terwijl ik naar Brahim terugkeer zeg ik een paar keer tegen mezelf: maar tien met hun wapens en zij, zevenhonderd gevangenen, die – wetend dat het echt de laatste keer zou zijn – erin berust hadden de vlag van de Franse republiek te groeten.

De dagen daarna was het afgelopen met de plicht hem te groeten.

Kort daarop werd besloten me met twee andere jongens van ongeveer mijn leeftijd, niet groter dan ik, over te plaatsen naar een ander kamp, het Maarschalk-kamp, zo vertelde men ons in de vrachtwagen die over de Kabylische wegen reed.

Ik heb niet eens afscheid kunnen nemen van Brahim, dacht ik. Mourad, de aanhanger van Messali, heb ik zelfs vanuit de verte niet meer teruggezien. Maar in het bijzonder de man die niet wilde schreeuwen, van wie ik alleen maar de gestalte heb gezien, de koppigheid heb waargenomen: was dat niet een nog aangrijpender weigering dan die van Brahim?

Veel later zag ik in die gevangene die geslagen werd ten slotte het beeld van mijn hele volk dat al die jaren weigerde te klagen. Ik kan het niet laten mezelf de vraag te stellen: gaat, nu ik terug ben, de kwelling opnieuw beginnen: beroering, waanzin, stilte?

Ben ik teruggekeerd om, net als toen, te blijven toekijken: toe te kijken en verscheurd te worden?

DEEL DRIE

De verdwijning

September 1993

'Wat is mijn vaderland? Mijn eigen grond, waar is die? Waar is de grond waarin ik straks kan gaan liggen?
In Algerije ben ik een vreemdelinge en ik droom van Frankrijk; in Frankrijk ben ik nog meer een vreemdelinge en ik droom van Algiers. Is het vaderland soms de plek waar je niet bent…?'

Mathilde, in *Le retour au désert*
van Bernard-Marie Koltès

'Homeless at home.'
Emily Dickinson

Driss

I

De drie dagen dat het bezoek van Marise aan Algiers duurde, trof Driss haar elke avond bij de vriendin bij wie ze logeerde. Ze spraken langdurig, soms chaotisch en geëmotioneerd over de verdwijning van Berkane, op een weg in Kabylië.

Een week, het was nu precies een week geleden. De auto van Berkane was teruggevonden in een greppel, op een afgelegen weg, op matige hoogte; hij lag gewoon op zijn kant. Niets aan bagage of papieren; geen enkele aanwijzing. Struikgewas waardoorheen was gelopen; meer niet. Een herder had de gendarmerie in Tadmaït gewaarschuwd, een gehucht dat tot de onafhankelijkheid het Maarschalk-kamp had geheten.

Op de hoogte gesteld door de politie in Dellys die het onderzoek had geopend, had Driss zich naar dat havenplaatsje gespoed; van daar had hij 's avonds Marise gebeld, die hij al heel lang kende: 'Een paar dagen voor hij tot dit uitstapje besloot, heb ik mijn broer nog ontmoet: hij wilde de tweede plek terugzien waar hij in '62 gevangen heeft gezeten. Ik heb hem gewaarschuwd. Hij vertelde me dat hij in één ruk naar Dellys zou rijden – wat een rustig stadje is. Het is pas het begin van Kabylië. De mensen in Dellys spreken trouwens Arabisch...'

Driss moest even nadenken, herinnerde zich toen weer: 'Berkane had me verzekerd dat als hij naar Tadmaït ging, het alleen maar voor een paar korte bezoekjes zou zijn: "Foto's maken van de omgeving, vooral praten met oude mensen die zich ons gevangenenkamp nog kunnen herinneren!" zei hij tegen me. Ik vroeg hem me elke avond te bellen, wat hij vier dagen achter elkaar deed. De vijfde dag was ik helemaal gerust: dat was de dag dat hij zou terugkeren!'

De verbinding met Parijs werd verbroken. Marise had de onrust en de ontsteltenis in de stem van Driss opgemerkt. Ze was aan hem gehecht als behoorde hij tot haar familie. Ze had hem leren kennen toen hij op zijn twintigste voor het eerst Parijs bezocht. Daarna kwam hij tijdens elk verblijf wanneer Marise in een theater speelde naar het stuk kijken, soms wel twee, drie keer achter elkaar...

Eigenlijk voelde Marise, die maar vijf jaar ouder was dan Driss, een bijna moederlijke genegenheid voor hem.

De volgende dag belde ze hem terug. Toen ze hoorde dat het onderzoek nog niets had opgeleverd, deelde ze mee dat ze de volgende zondag zou komen: 'Ik heb een Engelse vriendin die op de ambassade in Algiers werkt. Ik heb haar zojuist gesproken. Ze staat erop dat ik bij haar logeer!'

'Ik kom u op het vliegveld afhalen!' beloofde Driss, die de vriendin van zijn broer nog steeds met 'u' aansprak.

Zodra hij het nieuws gehoord had, was Driss dus in één ruk naar Dellys gereden.

Hij was ontvangen door de commissaris van politie. Er was nog niets bekendgemaakt; ze hadden vingerafdrukken genomen, wat sporen rond de auto onderzocht. Men wachtte op de familie; Berkane werd gezien als een 'emigrant op doorreis'. Was hij dus wel echt verdwenen? De auto was naar Dellys overgebracht: vóór twee raampjes gebroken, waarschijnlijk als gevolg van de val. Bleef over de ondervraging: was Berkane wel helemaal evenwichtig?

Een dikke man, een vijftiger, in burgerkleren, woonde het gesprek vanaf het begin bij. Driss begreep dat deze man waarschijnlijk een medewerker van de militaire veiligheidsdienst in de regio was, die door iedereen hier 'inlichtingendienst' werd genoemd.

De belangrijk lijkende man zei in het Arabisch met de gebruikelijke woorden en in bloemrijke taal dat hij met hem meeleefde. Het was bijna zijn deelneming betuigen, dacht Driss, opeens gespannen. De man ging weer zitten; hij zou, was hij even later zo vriendelijk te zeggen, het onderzoek persoonlijk volgen.

Driss vertelde het verhaal over de terugkeer van Berkane. Deze had besloten weer hierheen te komen om een teruggetrokken leven in dat dorp aan zee te gaan leiden: omdat hij vrijgezel was gebleven, woonde hij daar in een huis dat van de familie was, genoot hij er van de kleine uitkering die hem dankzij een vervroegde pensionering in Frankrijk toeviel, en schreef hij.

'Schreef hij?' vroeg de commissaris met een wantrouwige blik.

'Hij schreef een roman...'

Spanning in de lucht. Als Driss in de stemming was geweest om een grapje te maken, zou hij er met een spottende glimlach aan toegevoegd hebben: 'Geen detectiveroman hoor, meneer de commissaris!'

Op dat moment besloot de onderzoeker van de 'inlichtingendienst' op te staan. Hij had het erg druk, hij voelde zich vast te belangrijk om zich nog langer met het geval van deze onbekende vent bezig te kunnen houden. Het gesprek was geheel vanzelfsprekend in het Frans doorgegaan: de commissaris had zijn beroepsopleiding waarschijnlijk in een van de laatste jaren van de koloniale tijd afgerond, of vlak daarna. Deze brave ambtenaar voelt zich waarschijnlijk meer op z'n gemak in de taal van Voltaire, had Driss gedacht en hij herinnerde zich tegelijkertijd een van de opmerkingen van Berkane tijdens hun gesprekken: 'Terwijl ik mijn jeugdherinneringen op schrift zet,' had zijn jongere broer hem toevertrouwd, 'is het Frans de taal die mijn geheugen activeert...'

Politiewerk is eveneens werk dat het geheugen activeert!

Driss bracht de nacht door in het enige, enigszins vervallen hotel, dat in de jaren twintig of dertig gebouwd leek. Hij onderzocht de Simca waar Berkane tot dan toe mee gereden had: die had hij tweedehands gekocht in Marseille, want hij had maar één dringende wens gehad, herinnerde Driss zich: naar ons terugkeren, maar over zee, genieten van het weidse en prachtige panorama dat deze aankomst 's ochtends vroeg biedt!

'Roerloos op het dek, keek ik mijn ogen uit bij het aanschouwen van de schoonheid die ik voor me zag... zij, mijn stad der stormen!' hoort Driss zijn broer nog vol verrukking zeggen als enige reactie op het zeer nuchtere verwijt dat hij hem glimlachend had gemaakt: 'Het is zelfs niet bij je opgekomen om, toen je terugkeerde, zoals elke terugkerende emigrant, op z'n minst een nieuwe auto mee te nemen!'

In Dellys tekende Driss alle papieren die men hem vroeg te tekenen, liet hij zijn adres, zijn telefoonnummer op de krant achter en ging tegen elf uur 's ochtends weer op weg. Maar eenmaal buiten het stadje bleef het hem spijten niet een bijzonderheid te hebben gemeld die misschien van belang was – het was een soort schuldgevoel waar hij die nacht al een keer wakker van was geworden.

Sinds twee, drie weken ontving hij, evenals twee andere collega's van hem, thuis in Algiers en per post 'de noodlottige brief', te weten een stukje wit katoen, een beetje zand in een doosje en een in vieren gevouwen vel papier waarop in Arabisch schrift maar één woord stond: '*afvallige*'.

Driss had er na de eerste brief met zijn directeur over gesproken, die alleen maar had gezegd: 'Met jou erbij zijn we bij de krant nu dus met drie mensen die door de godsdienstfanaten ter dood zijn veroordeeld!'

Pas toen had Driss over de betekenis van die macabere tekens nagedacht: het witte lapje duidde op de lijkwade en het zand op de aarde van het graf, want elke moslim wordt, in een witte lijkwade, zonder kist, in zijn graf gestopt.

Ze hadden afgesproken er vooralsnog geen melding van te maken bij de politie of het leger; ze zouden er ook niets over tegen hun collega's zeggen. Samen overlegden ze regelmatig over de voorzorgsmaatregelen die ze minimaal namen: vaak wisselen van verblijfplaats, op wisselende tijden onderweg zijn en, zo mogelijk, niet altijd in dezelfde auto!

'Op het ogenblik intimideren ze ons om te zorgen dat de toon van onze artikelen verandert', merkte de directeur onverstoorbaar op.

In de loop van het gesprek met de politie in Dellys had Driss zich afgevraagd of Berkane, die dezelfde achternaam had als hij, niet het slachtoffer van een vergissing was geworden. Hij had geaarzeld zijn vrees uit te spreken, had zich de afspraak met zijn beide collega's herinnerd en zijn mond gehouden.

Zo hard mogelijk rijdend om snel in Algiers terug te zijn, besloot hij terughoudend te blijven, maar op dit punt met zijn directeur te overleggen, die vast ernstiger bedreigd werd dan hij. Hij dacht ook aan Marise, die de volgende dag zou aankomen: hij zou openhartig met haar spreken, nam hij zich voor.

Wat de familie betreft, in het bijzonder zijn oudste broer, werkzaam op een verre ambassade, daar zou hij voorlopig niets tegen zeggen. Van zijn beide zusters was het de ene, die de moord op president Boudiaf met een vooruitziende blik had begiftigd, gelukt door haar Franse firma in Frankrijk aangesteld te worden. De tweede, sneller met haar emoties, zou waarschijnlijk in huilen uitbarsten, hem met haar angsten lastigvallen: hij was de benjamin van de familie. Hij besloot haar erbuiten te houden, haar niet onnodig ongerust te maken, zij, intussen moeder van een gezin.

Driss was eigenlijk meer van streek door de verdwijning van Berkane dan door de, nogal onduidelijke, gevaren die hemzelf boven het hoofd leken te hangen. Want hij ging vanwege de toon van de artikelen die hij schreef en ondertekende voor zijn publiek door voor een scherp pamflettist. Zijn directeur had hem gevraagd het aantal voorlopig te beperken.

Die nacht werd hij thuis verscheidene keren wakker en schreef dan… over zijn vriend Tahar Djaout, drie maanden daarvoor vermoord, die hem in het begin in zijn vak tot leidsman was geweest.

2

Marise verliet de rij reizigers, kwam naar Driss toe en omhelsde hem liefdevol. De journalist, die haar al drie jaar niet meer gezien had, toonde zich weer even blij als alle andere keren. 'Nog steeds zo mooi! Haar reusachtig grote ogen, haar bevalligheid; nog iets stralender geworden, misschien!'

Ze nam hem bij de arm, drukte die tegen zich aan.

'Geen enkel nieuws?' vroeg ze gespannen.

Driss schudde van nee; hij ging haar voor naar de parkeerplaats waar hij zijn auto had neergezet. Pas toen ze naast hem zat, hij was weggereden en ze de snelweg op waren gegaan liet ze ineens het hoofd zakken en begon ze met geluidloze snikken te huilen.

Opnieuw, net als toen de man van de 'inlichtingendienst' in Dellys hem zo goed als gecondoleerd had, voelde Driss bij het horen van het krampachtige gehuil van Marise fysiek (een zekerheid die over hem kwam als werd er voor zijn ogen een reusachtige doek langzaam in tweeën gescheurd) dat zijn broer, die hij bewonderde en van wie hij ook hield, nooit meer terug zou komen... Berkane, verdampt in de lucht of al een lijk in een diepe greppel? Bijna vinnig hoorde hij zichzelf tegen Marise zeggen, die haar neus snoot: 'Er is nog niets verloren, denk ik... Als "zij" hebben toegeslagen en hem hebben gedood, eisen ze hun misdaad gewoonlijk door middel van een pamflet of een brief op!'

Tot ze aankwamen bij het oude – en bewaakte – huis in de villawijk El Biar, waar de vriendin van Marise woonde, spraken ze geen woord meer. Driss groette Ellin, bleef maar een paar minuten. Hij beloofde Marise de volgende ochtend te zullen bellen.

'Als u wilt, Marise, kunnen we de avonden samen doorbrengen', zei hij.

'Dan kunt u me op de hoogte houden!' mompelde ze met een trieste glimlach.

Dezelfde dag vertrok hij 's middags naar Douaouda: hij had reservesleutels van de woning van zijn broer. Tijdens hun laatste gesprek had Berkane hem op luchtige toon verduidelijkt: 'In de muurkast, die heel diep is, in de kamer waarin ik slaap heb ik een blauwgeverfd ladenkastje neergezet, dat onze moeder vroeger gebruikte wanneer we hier onze vakantie doorbrachten.'

Opeens was hij bedroefd opgehouden met praten.

'In de laden', ging hij verder, 'heb ik opgeborgen wat ik sinds mijn terugkeer geschreven heb... Dat is het enige van waarde wat ik heb', besloot hij terwijl hij zijn jongere broer de rug toekeerde.

Die hoorde Berkane stilletjes lachen, waarna hij zich plotseling weer omdraaide en eraan toevoegde: 'Ik vertrouw je die papieren toe... Mocht me iets overkomen, dan ben jij mijn executeur-testamentair, dat spreekt vanzelf!'

Tegelijkertijd keek Berkane Driss met een droefgeestige blik aan: een blik die zowel vriendelijk als ernstig was, herinnert de journalist zich terwijl hij het dorp nadert.

'Ik zal eraan denken', had hij na een aarzeling geantwoord, vervolgens: 'Je bent vandaag niet op z'n vrolijkst!', als een soort tegenwerping.

'Ach wat, het is niet meer dan een formaliteit!'

Met een handbeweging had Berkane zijn broer gerustgesteld en hem voorgesteld te gaan zwemmen. Driss had zich, ondanks het septemberzonnetje, dat rond deze tijd echter behoorlijk koud was, laten meeslepen. Vervolgens hadden ze voor de lunch gegrilde vis gegeten, samen met Rachid, de bevriende visser, die zich bij hen had aangesloten.

Enigszins buiten adem ging Driss haastig de woning van Berkane binnen. Hij stopte een vrij diepe koffer vol met alle schriften – en met een paar oude boeken – die hij in de kast van hun overleden moeder vond. Hij keek heel even naar de foto's die Berkane zonder veel omslag tegenover zijn bed had opgehangen. Daarna keerde hij dat hele decor de rug toe, alsof hij de geur van Berkane wilde ontvluchten, die nog overal binnen deze muren hangt! dacht hij met een gevoel van verwarring... Hij ging meteen weer op weg.

Onder het rijden deed hij zijn best een begin van angst te onderdrukken. Hij dwong zichzelf, heel kalm, aan het in veiligheid brengen van de papieren van zijn broer te denken. Het is nog maar de vraag of die documenten in mijn huis veilig liggen! dacht hij. Dat is allerminst zeker! Voor ik Marise weer zie, moet ik daar eerst eens goed over nadenken!

3

Hij bracht twee avonden met de vriendin van Berkane door die, elke dag, in het gezelschap van een gids, op bezoek ging bij de familie van twee, drie van haar geëmigreerde collega's.

'Het leven schijnt moeilijk te zijn geworden, zelfs voor mensen die tot de gegoede klasse lijken te behoren. Ik heb medicijnen meegebracht voor de moeder van een van onze kleedsters in de schouwburg en boeken voor de broer van een jonge toneelspeler...' (Ze glimlachte.) 'Het was prettig om met hen over dagelijkse dingen te praten; je merkt dat ze bezorgd zijn, maar ze blijven zo hartelijk!'

Ze zweeg. Ellin had zich, toen ze Driss haar ruime en zwak verlichte zitkamer binnenliet, verontschuldigd dat ze naar een ontvangst moest, 'een verplichting die het werk met zich mee brengt', had ze gezucht.

Driss begreep echter dat ze zich uit bescheidenheid naar elders begaf.

Alleen met Marise achtergebleven, legde hij twee pakjes voor haar neer die alle papieren van Berkane bevatten.

'"Dit is het kostbaarste wat ik bezit!" zei mijn broer tegen me toen ik de laatste keer een weekend bij hem doorbracht!'

Driss aarzelde, bekende toen snel: 'Ik wissel momenteel vrij vaak van verblijfplaats, net als al mijn collega's bij de krant, alleen maar uit voorzichtigheid!'

Hij glimlachte, onzeker, en vervolgde terwijl hij de toneelspeelster een van de pakjes, het minst omvangrijke, aanreikte: 'Dit is, denk ik, alles wat Berkane heeft kunnen schrijven en heeft willen bewaren... Hij heeft zelf alles geordend. In dit eerste pakje, het is heel eenvoudig en daarom heb ik het apart gehouden, zitten brieven; op elke envelop staat uw voornaam, Marise...' (Hij boog naar voren en reikte haar het pakje aan.) 'Ze zaten in een envelop, met uw adres erop. Alleen de postzegel ontbreekt.'

Marise bekeek het halfgeopende pakje en er kwam plotseling een paniekgevoel over haar: deze vrij dikke enveloppen, werden die haar werkelijk op deze manier door het noodlot gebracht, alsof Driss de bode was die iets onherroepelijks meedeelde? Ze keek naar hem op met haar reusachtig grote ogen, waarin al de eerste tranen blonken.

De journalist verstarde, stond vervolgens op en liep naar het balkon met uitzicht over de baai. Hij stak een sigaret op om zichzelf weer meester te worden. Marise kwam stilletjes naar hem toe, legde een hand op zijn schouder en zei, zonder hem aan te kijken: 'Het is moeilijk, voor ons allebei, Driss! Vergeef me: ik begrijp dat ik helaas voor niets ben gekomen!'

'O nee,' riep hij uit, 'juist bedankt dat u gekomen bent. Weet u...' (Terwijl ze naar hun zitplaatsen terugkeerden, kwam er stil een bediende binnen met een zilveren dienblad: dranken, hete koffie) 'Nee, uw aanwezigheid geeft me kracht: ik heb tot nu toe noch mijn zuster ingelicht, noch... Weet u, ik neem aan dat mijn oudste broer en Berkane al heel lang niet meer met elkaar spraken: toch zal ik hem moeten waarschuwen!'

Vervolgens deden ze hun best over heel andere dingen te praten: de gevaarlijke situatie, niet alleen het islamitische geweld; er waren veel mensen verdwenen, na verhoren van eenvoudige verdachten door wat genoemd werd 'veiligheidsagenten'.

'Ik stel vast dat er angst begint te heersen, vooral bij eenvoudige families, en ongelukkigerwijs bij beide partijen in het conflict.'

'Het moet moeilijk zijn zo je werk als journalist te doen', merkte Marise op.

Vlak voor hij vertrok legde Driss uit dat in het tweede, nog steeds dichtgebonden pakje een manuscript zat en ook een schrift.

'Het schrift, u zult het wel zien: op de eerste bladzijde schreef mijn broer eenvoudigweg: *Dagboek.* Ik denk dat hij het bijna dag na dag gedateerd heeft. Maar ik heb alleen de eerste bladzijden gezien!'

'Ik wil het niet lezen!' protesteerde Marise.

'Doe wat u wilt: wees me echter van dienst, want al deze papieren, ook al zijn ze heel persoonlijk, het zou me meer rust geven als u ze voor mijn broer bewaarde, bij u thuis, in Parijs.'

Ze sneed het touwtje door, haalde er een schoolschrift uit, nog een, oranje, met de naam Berkane erop. Ze sloeg het niet open.

'In de andere envelop', vervolgde Driss zacht, 'zit een manuscript... Compleet of niet, ik heb geen idee. Zoals u zult zien heeft het als titel *De jongeman.* Eronder had mijn broer *roman* getypt. Vervolgens heeft hij die aanduiding doorgestreept en met de hand het woord "verhaal" erbij geschreven. Ik denk dat hij het vervolg met zich mee heeft genomen...'

Nog steeds voorovergebogen naar Marise riep hij uit: 'Kortom, om deze tekst te voltooien, heeft hij zich aan gevaren blootgesteld!'

Daarna spoorde hij haar vriendelijk aan om, eenmaal terug in Parijs, dat verhaal *De jongeman* te lezen, ook al was het onvoltooid. Toen hij vertrok drong hij er nogmaals op aan: 'Wat *De jongeman* aangaat, ik denk dat juist u het zou moeten lezen, om erachter te komen wat we zouden moeten doen in het geval...'

Hij voltooide zijn zin niet: hij maakte een zenuwachtige beweging met zijn vingers als teken van verzet of van onmacht.

Marise

I

Die ochtend in november '93 in gezelschap van Ellin onderweg naar het vliegveld, zei Marise tegen haar vriendin: 'Weet je, ik weet dat ik in Parijs nevel en winterse laaghangende bewolking zal aantreffen en niet een helderheid zoals hier' – ze maakte een beweging buiten het raampje van de auto, die vrij hard reed. 'Toch vind ik deze stad die ik verlaat niet schuldeloos wit, nee, eerder naargeestig en verdacht... Ik ben bang, Ellin!'

Deze kneep zacht in haar hand om haar gerust te stellen.

'We moeten hopen...! Heb vertrouwen. Als het om iets moeilijks gaat ben jij altijd sterk, echt waar!'

In het vliegtuig kon Marise de verleiding niet weerstaan de drie lange brieven die Berkane haar geschreven had open te maken.

Ze las de eerste door, raakte ontroerd voor haar ogen neergeschreven te zien, en op de breedvoerige manier die kenmerkend was voor Berkane, ja, echt op papier de uiting vastgelegd te zien van dat verlangen naar haar – naar haar lichaam en naar haar helemaal – dat hem gekweld had. Hij, ver van Parijs, die in dat dorp waar zij niet eens geweest was gesprekken met haar voerde, dicht tegen haar oor, dicht tegen haar naakte lichaam met haar sprak... De liefde van Berkane. Zij had hem er in feite toe gedreven haar te verlaten, vervolgens naar zijn geboorteland terug te keren...

Ze huilde niet. Maar toen ze in Roissy uit het vliegtuig stapte, zette ze een zonnebril op.

Ze wist dat Thomas, een toneelcriticus met een zekere faam die haar al een paar maanden voorzichtig het hof maakte, bij Ellin had geïnformeerd naar de aankomsttijd van het vliegtuig dat ze zou nemen. Hij had gezegd haar 'een verrassing' te zullen bezorgen. Nadat ze haar bagage had opgehaald, kuste hij haar in de hal op haar wang.

'Ik maakte me zorgen over je!' zei hij terwijl hij haar hand pakte.

Ze liet zich de volgende dagen door Thomas met zorg omringen, door hem troosten. Alsof ze door zijn gezelschap te aanvaarden tenminste iemand had met wie ze over Berkane kon praten!

Ze weigerde achtereenvolgens twee nogal belangrijke rollen: ze wilde huilen op het toneel: zich laten gaan en, dankzij een tekst – het gaf niet wat voor een – treuren om Berkane, treuren om zijn Algerije, treuren om zijn terugkeer die op een verdwijning was uitgedraaid, treuren ook om wat, ze wist het niet zo goed en was er bang voor, meer dan dat de feitelijke afwezigheid van Berkane haar beangstigde (waarin ze de afgelopen twee jaar had berust, al belde ze hem nog geregeld, wat hij maar een enkele keer deed). Nee, ze wilde vooral niet om zijn afwezigheid treuren, wat haar plotseling kwelde was eerder de ontvoering van Berkane – wrange oorzaak van haar huidige verdriet, ja, een ontvoering van Berkane in zijn totaliteit (losgerukt van zijn wortels, zijn moedertaal inbegrepen, de ondoorgrondelijke en de verstrooide Berkane, maar ook de innemende Berkane die zij gekend had), de man die zichzelf weer geworden was, zozeer dat hij ten slotte was gaan schrijven, de verwerkelijking van zijn droom, waar hij haar vreemd genoeg dankbaar voor was. Maar toch vertelde zijn dagboek – natuurlijk tussen de regels door – over zijn liefde voor de onbekende vrouw N., de rivale, de tijdelijke beminde, vast een soort vrouwelijke zeerover met op elke pleisterplaats liefdesavontuurtjes, een 'tafelhoer' zoals Oosterse vrouwen zich zo vaak wisten voor te doen nadat ze eenmaal de knoop hadden doorgehakt, afvallig waren geworden, met de clan van mannelijke familieleden, broers, neven hadden gebroken en hun prooi elders gingen zoeken...

Dat was voor Marise het kernpunt van haar verdriet – niet helemaal eerlijk, ook niet helemaal oprecht, vaag daarentegen, dubbel – dat ze van haar uitstapje naar Algiers mee terugbracht: de ontdekking dat Berkane de prooi was geweest (ze wist dat het een overtrokken voorstelling was) van die vrouw, N., met wie hij maar twee, drie nachten scheen te hebben doorgebracht...

Met de onverwacht bittere smaak die ze erbij in de mond kreeg (zo'n beetje als een wettige echtgenote die na de plotselinge dood van haar echtgenoot ontdekt dat deze een maîtresse had die jonger was of die hij meer liefhad), ondervond ze een soort verdriet achteraf over dit 'verraad'... Nee, ze overdreef, ze wist het. Omdat ze al minstens een seizoen niet meer optrad, schiep ze zo haar eigen melodrama... Nee! ze hield op met haar gejammer, herstelde zich.

Allereerst ja tegen Thomas zeggen, die wachtte. Die niet lang meer zou wachten, ondanks het feit dat hij naar haar verlangde: hij kende zijn eigen waarde, zoals hij zich eveneens bewust was van zijn positie, van het aanzien dat hij in het beperkte kringetje aan het verwerven was, met een been aan de kant van de professionals van de literatuur en met het andere aan de kant van een groep nogal strenge toneelschrijvers die als moeilijk bekendstonden.

Ze zou ja tegen Thomas zeggen: alles welbeschouwd een manier om Berkane vaarwel te zeggen...!

2

Sinds de verdwijning van Berkane waren er drie weken verstreken: nog steeds niets, geen lichaam, geen sporen van de ontvoerders. Driss belde haar regelmatig: hij gaf te kennen dat hij zich net als zijn directeur schuilhield, zich vermomde, zich af en toe verstopte: de jacht op Franstalige intellectuelen was heropend en nog eens zo fel.

Die maanden september en oktober nam de stroom ballingen toe: journalisten voorop, gevolgd door schrijvers (zelfs een aantal dat niettemin had laten weten dat ze voortaan in het Arabisch zouden schrijven. Dat zou Berkane nooit gedaan hebben, dacht Marise, hij had beide talen die hij kende heel erg nodig); leraren, artsen, toneelspeelsters en raï-zangeressen gingen er eveneens vandoor, deze laatsten af en toe opstandig wanneer ze, tegelijkertijd huilend en lachend als ondeugende meiden, vertelden over de mensenjacht en hun laatste angstige momenten in Algiers...

De moorden namen toe en werden bijna allemaal opgeëist. Alsof Berkane en zijn stille verdwijning samenvielen met het hoogtepunt, natuurlijk eigenlijk het dieptepunt, maar het cruciale punt in deze uit beroering en waanzin bestaande crisis. Hij, de eenling!

In oktober, toen meer dan zo'n dertig toneelspelers een toevluchtsoord vonden in de Cartoucherie, in een buitenwijk van Parijs, en Marise, ter herinnering aan Berkane, regelmatig deelnam aan solidariteitsacties, besloten sommigen van deze artiesten hun huidige leven van vervolgden 'uit te beelden' door middel van een montage van teksten en gedichten... Een beroemd humorist liet de mensen lachen tot ze er tranen van in de ogen kregen door het te hebben over de wanhoop van de jongeren in Algiers, en hij deed dat in een heel eigen Frans: Marise ging naar hem luisteren, en ook al was het meer cabaret dan het soort toneel, gematigder van toon of treurspelachtiger, waar zij gevoelig voor was, terwijl de toeschouwers om haar heen lachten, lachte Marise, eveneens toeschouwster, wel af en toe mee, aangestoken door de anderen, maar meestal huilde ze: treurde ze om Berkane omdat iets in de stem en in het Franse accent van de humorist haar met bijna intieme gevoelens deed denken aan haar verdwenen geliefde.

Eind november '93 ontvluchtten Franstaligen van beide geslachten en met verschillende beroepen (journalisten, leraren, vakbondsmensen, artsen...) in verwarring hun land naar Frankrijk, Québec, een beetje zoals de Andalusische morisken of joden uit Granada na 1492 en met regelmatige golven de hele eeuw daarna waren weggetrokken, met een laatste blik op de Spaanse kusten, om – dankzij de Arabische taal van toen – eerst in Tétouan, Fez, Tlemcen en vervolgens in het hele kustgebied van de Maghreb te belanden. Zou op deze manier, zoals het Arabisch – flink geholpen door de Inquisitie – uit het Spanje van de streng katholieke koningen verdween, de Franse taal nu opeens 'daarginds' verdwijnen?

Marise zei nog eens hardop 'daarginds'. Ze hoorde zichzelf in haar eentje praten, in haar eentje onzin uitkramen en moest een laatste keer langdurig huilen. Daarna...

Nou goed, daarna viel het haar gemakkelijker en liet ze zich nu eens meeslepen door haar verdriet, dat ze wat overdreef, dan weer nam ze opeens het besluit het van zich af te zetten – een huid die ze afrukte en die ze met een kille en heldere, wrede blik bekeek. Op een dag besloot ze zich er definitief van te ontdoen, alsof ze, waar ze zich ook bevond, een onzichtbaar publiek om zich heen had om haar te ondersteunen.

'Laat me in een andere huid kruipen, jammerde de koning!'

Opeens zei ze deze versregel op – het was jaren geleden dat ze tijdens welke poëzievoordracht voor een eerste publiek zo had geschitterd? Ze vergat het gedicht, kon zich zelfs de dichter niet meer herinneren, ze had Berkane nog niet leren kennen, ze had nog maar net haar debuut gemaakt. Haar geheugen gaf nog een flard prijs: 'Neem mijn taal en mijn woorden, die welke ik uitspuw en de mooiste...'

Ze wist niet meer hoe het verderging, huilde opnieuw, bedacht opeens dat Berkane vanwege de Franse taal die hij sprak verdwenen was. 'Die woorden die ik uitspuw', droeg ze voor, heftig, tot zichzelf gericht: want zij waren allebei met elkaar verbonden geweest door dezelfde klanken en de muziek van dezelfde woorden, zij die ze op het toneel liet klinken, maar hij, lag hij vanwege die woorden inmiddels niet dood in een greppel?

Na een aantal van zulke aanvallen van vertwijfeling nam ze zo, stapsgewijs, 'afscheid van haar verdriet', maar zonder verdere hoogdravende taal, ook al trad ze eens op een ochtend in het voetspoor van Baudelaire: 'Bedaar, o mijn Verdriet, en roer je niet zo fel!'

Zoals het Berkane trouwens vrij spoedig opgevallen was, was het Franse repertoire niet haar sterkste kant (Marivaux niet, Hugo natuurlijk ook niet en Claudel nog minder), tijdgenoten lagen haar misschien beter. Zijn favorieten waren uiteindelijk de Russen, met hun droefgeestigheid die tussen twee woorden, in de stiltes parelde en die ook je lichaamshouding, je bewegingen en de klankkleur van je stem bepaalde, die niet slepend mocht klinken, nee, ook niet zeurderig, dat vooral niet, eerder opgetogen, maar naar binnen gericht...

Berkane en de Russen, en zijn grote liefde voor Tsjechov. Ach, als hij eens hier was, als hij eens terug had willen keren, net als de nieuwe vluchtelingen die uit zijn land hierheen kwamen, zodat ze tegen hem had kunnen zeggen (en hier sloeg de verbeelding van Marise op hol): 'Nu ben je niet langer een emigrant, maar een vluchteling!'

'Een vluchteling zonder papieren', zou hij gezegd hebben, verondersteld dat hij terug had willen komen...

'Nee, niet zonder papieren', zou ze gehaaid geantwoord hebben. 'Je trouwt heel gewoon met me of ik trouw met jou, kies maar, en je hoeft maar te gaan zitten schrijven, wonend in het geeft niet welk dorp in de Provence, dat zou niets aan je huidige leven veranderen: het landschap, hetzelfde, je vertelde me immers, weet je nog, over het leven van een heleboel "zeerovers in Algiers" die eigenlijk uit Venetië, Calabrië, van Corsica afkomstig waren, geboorteplaatsen waarvan ze de sporen droegen tot in hun moslimnamen! Jij doet gewoon het omgekeerde! Je komt naar ons toe en je brengt in je naam iets aan wat betrekking heeft op de Kashba waar je geboren werd... Een straatnaam, bijvoorbeeld...!'

Maar hij zou niet antwoorden, Berkane... Hij zou niet met

haar spelletje meedoen, zij, de vrouw met de waanvoorstellingen, de halve gek wanneer Thomas haar nu alleen laat – zij het dat ze inmiddels 'ja' tegen hem had gezegd, dat ze ging verhuizen, dat ze bij hem introk. Hij wilde haar 'elke nacht', zo zei hij, 'dus geen halve maatregelen!'

Ze voerde haar eigen toneelstuk dus een laatste keer in haar zitkamer op, waar ze moest beginnen met het opbergen van haar spulletjes, haar parfumflesjes, haar boeken in kleine oplage met de teksten van de stukken waarin ze gespeeld had, de albums met foto's van haar op toneel – voor elk jaar een, het waren er meer dan twaalf.

Haar droeve klagen, dat geleidelijk minder werd, zoals as die koud wordt, of zoals zonnen die verdwijnen, verstomde echter altijd op hetzelfde punt: het beeld of het ontbreken van een beeld van Berkane, van wie men nog steeds niets vernomen had, de gegijzelde van niemand, het slachtoffer van onbekenden zonder gezicht, Berkane, met alleen nog maar een starre blik, weg zijn lichaam, weg zijn bloot bovenlichaam, weg zijn armen om haar heen, weg zijn lange benen (in het begin had ze hem begeerlijk gevonden vanwege zijn lange benen), weg ook zijn lach, of eerder zijn halve lachje waardoor zijn zinnen onbegrijpelijk bleven, niet afgemaakt werden!

In de loop van deze laatste crisis meende Marise bij de woorden 'niet afgemaakt' opeens in een flits iets te hebben gevonden wat haar tot rust bracht: 'Berkane, mijn Berkane, jouw dood is onvoltooid! Ze hebben je wellicht in kluisters geslagen, ze hebben je waarschijnlijk gefolterd, zoals indertijd, jou, een zoon van de Chaoui-stam met de koppigheid die je in *De jongeman* beschrijft, ze hebben je dus meegenomen, niet begraven, nee, ik weet het, misschien zijn ze op dit moment bezig je aan een van hun kwellingen bloot te stellen – een van het soort waarover je me vertelde en die in de zestiende eeuw in de Kashba werden uitgevoerd, dat was in de tijd van onze "brave" koning Hendrik IV, die eveneens werd vermoord.

Maar jij niet!

Jij bent in leven!

Ze zijn nog niet met je klaar, maar je bent in leven!'

Ze hield op met huilen. Spoedig zou ze verhuizen, ze zou met Thomas de liefde bedrijven, in Thomas' bed, in Thomas' slaapkamer die de slaapkamer van Thomas' ouders was geweest!

Marise zou er misschien het zwijgen toe moeten doen: wat Berkane betreft zou ze voortaan haar mond houden. Ze zou ongevoelig blijven, hard worden. Maar vergeten was iets anders...

3

Ze aanvaardde meteen de rol van Mathilde in een wederopvoering van *Terug naar de woestijn* van Bernard-Marie Koltès, vroegtijdig overleden, net vier jaar daarvoor.

Vanaf de eerste repetitie voelde Marise, wanneer Mathilde, die naar haar broer in Algerije is teruggekeerd, jammert (of schreeuwt): 'In Frankrijk ben ik nog meer een vreemdelinge en droom ik van Algiers. Het vaderland, is dat de plek waar je niet bent?' dat het lot had bepaald dat ze Berkane voorgoed in zichzelf zou meedragen, in de schijnwerpers: zij zou dus zijn in het licht badende graf zijn, want zij had hem, helaas, twee jaar daarvoor ertoe aangezet naar het land van zijn voorvaderen terug te keren. Een terugkeer naar een gevaarlijk land!

Nee, dacht ze, hoewel ze zich geheel liet leiden door de regisseur die haar er voortdurend aan herinnerde: 'Let op, Koltès heeft dit stuk geschreven als een blijspel!' Ze had er maling aan! Geheel tegen Mathilde, het personage, in maar in Marises binnenste, keerde als een spookgedaante Berkane terug om bezit van zijn vriendin te nemen: hij, in leven en afwezig, schrijvend en zwijgend, hij die in haar verborgen zat maar uit wie zij nieuwe kracht putte.

Na een heel seizoen, waarin ze zich schijnbaar onderworpen

had aan het personage, die Franse vrouw in Algerije die in de Marengostraat had kunnen wonen, vlak bij de Kashba waar Berkane vandaan kwam, merkte Marise dat ze door dat verborgen samenzijn met de verdwenen man veranderd was.

Zo droeg zij hem dus met zich mee, haar vriend van de tien voorafgaande jaren, die jonge jaren die voorbij waren gegaan! Vanaf toen stak er in elke rol die ze speelde, welke het ook was, een onzichtbaar zwaard in haar dat haar recht overeind hield; elke avond op het toneel putte ze kracht uit het feit dat ze Berkane miste, uit de verborgen aanwezigheid van Berkane; zou hij altijd als 'vermist' blijven gelden, nee, ooit zou zijn stoffelijk overschot teruggevonden worden, of alleen zijn hoofd, zou het tafereel opnieuw gespeeld worden van die heerser over de Kashba wiens hoofd op een ijzeren spits op de Bab Azzoun-poort stak, hij, Hassan Corso, een van de meest geliefde vorsten van toen. Berkane had haar verteld dat dat hoofd elke voorbijganger die onder de poort door liep vervolgens smeekte het eraf te halen en de vorst weer binnen te laten.

Soms gebeurde het dat ze vlak voor ze het toneel op moest in de coulissen nog stond te huilen bij de gedachte dat op het moment dat zij dadelijk haar rol ging spelen Berkane in een spelonk in Kabylië gevangenzat, nog wel leefde, maar gemarteld werd...!

Na het toneel weer verlaten te hebben, keerde ze, ver van het applaus, terug naar haar kleedkamer als iemand die zich gesterkt voelde omdat ze als actrice gewaardeerd werd, maar die inwendig ook een diepbedroefde weduwe was: ze zag het hoofd van Berkane op zijn beurt op een ijzeren spits op een van de oude poorten die toegang gaven tot de Kashba: 'Haal me eraf, ik heb het koud!' smeekt Berkane. 'Het lijdt geen twijfel dat ik dood ben, maar laat me tenminste de stad weer in, en mijn wijk weer in.'

Mijn *houma*, zoals hij zei. Dat is het enige Arabische woord dat Marise in staat is uit te spreken: *houma*! Ze heeft geleerd hoe ze de 'h' met aanblazing moet uitspreken; ze is zelfs in staat precies zoals

Berkane het zei uit te roepen: '*Ya ouled el houma*!' Zoals hij het zal zeggen wanneer hij terugkeert: 'O kinderen van mijn wijk!'

Marise droogde haar tranen en keek in de spiegel aandachtig naar haar gezicht. Dat gezicht wordt ouder! Wat doet het ertoe, er is make-up en er is het voetlicht... O Berkane!

Na de laatste opvoering van *Terug naar de woestijn* trok Marise, nog weemoedig maar zeker van zichzelf, bij Thomas in.

Nadjia

I

December 1993

Lieve Berkane,

Ik schrijf je vanuit Padua... Sinds onze ontmoeting zijn er al twee jaar voorbijgegaan en toch lijkt het gisteren...

Pech gehad maar mijn brief zou wel eens lang kunnen worden, lieve vriend... Ik wil je graag laten weten hoe het me in het leven vergaat, ver van het onheil in ons land...

Tot dan toe (dat wil zeggen tot onze ontmoeting) was ik alleen maar 'in beweging': streken ontdekken, of gewoon steden, landschappen ook, mensen leren kennen wier taal ik vaak niet eens sprak, met wie ik ook geen gemeenschappelijke herinneringen kon uitwisselen. Ten slotte werd ik me er – pas vrij kort geleden – van bewust dat het in zekere zin een hardnekkig streven was mijn eigen land overal te vergeten! Mijn grootmoeder is overleden, mijn vader en mijn moeder hebben nog twee kinderen die ze 'op eigen benen moeten leren staan' zoals ze het noemen (hun studie, hun toekomst enz.).

Maar ik, Berkane, hoe vergaat het mij: ik ben een bannelinge, ze zeggen heel vaak dat ballingschap met weemoed gepaard gaat, bij mij niet, nee! – een vluchtelinge, maar waar ben ik ver vandaan gevlucht? Een staatloze, al bezit ik twee paspoorten en spreek ik drie talen, alsof ik eens en voor al tegen mezelf had gezegd: 'Recht vooruit!' Ik weet echter dat ik niet op de vlucht ben: ik vergeet, of beter gezegd, ik wil vergeten en om die reden luidt de regel:

reizen, verhuizen, van kust naar kust zwerven (ik ben in het dagelijks leven met weinig tevreden). Ik vertel je dit omdat het in feite zo is gegaan dat ik, na onze wederzijdse kennismaking (deze woorden dienen in hun volle betekenis begrepen te worden), naar mijn Italiaanse vriend in Alexandrië toe ben gegaan. Ik heb er een dichter vertaald die in die roemrijke stad is geboren: Ungaretti. Daarna was het eigenlijk de bedoeling dat ik in Beiroet ging wonen, helaas, voor mij een geschonden stad...

Ik geef toe dat ik een poos maar niet kon ophouden me vragen betreffende jou te stellen: waarom had je besloten terug te keren? Niet dat ik vreesde dat ik door je verlangen aangestoken zou worden, nee, helemaal niet...! Misschien dat achter deze dwanggedachte de behoefte aan je te denken schuilging zonder dat ik dat wilde toegeven. Na deze vaststelling volgde ik voor een keer mijn verstand.

Ik begon met afscheid van mijn Italiaanse vriend te nemen: pas toen besefte ik dat het eigenlijk Italië was wat ik in hem waardeerde. Ik ging heel rustig bij hem weg en ik verzekerde hem oprecht dat ik hem voortaan zou beschouwen als een echte broer. Heus! Dat verdient hij: hij was lief, attent voor me en, wat niet gemakkelijk is waar het mij betreft, geduldig in onze dagelijkse omgang!

Kortom, ik vertrok. Vaarwel Egypte ook, en geen omweg via Beiroet. Rechtstreeks zowel naar het Nabije Oosten als naar Italië: daarom zit ik nu hier, niet in Venetië maar in Padua, vanwaar ik je schrijf.

Ik heb in deze stad, en al jarenlang, als vriendinnen een groepje van vier, vijf vrouwen met wie ik me sterk verbonden voel en die heel erg een voorbeeld voor me zijn: tot nu toe ontmoette ik ze een keer per jaar om samen een sportieve vakantie te ondernemen die me telkens weer een opkikker gaf.

Ach, lieve Berkane, wat is vriendschap tussen vrouwen heerlijk wanneer ze onafhankelijk en hartelijk zijn... en voor het merendeel verlost van huiselijke en moederlijke plichten! Niet dat ik niet van kinderen hou! Een bekentenis, omdat je toch ver weg bent: in de loop van een paar nogal moeilijke dagen (mijn vertrek uit je dorp was voor mij bijna een mezelf losrukken) nadat ik bij je weggegaan was, nou ja, in die onaangename periode – waarin ik echter mijn best deed niet meer aan je te denken – overkwam me iets nieuws. Ik had vaak wel willen huilen, elke ochtend huilend wakker willen worden en weet je waarom: ach, dacht ik, van deze man zou ik wel graag een kind willen hebben! Als ik het mijn moeder verteld had, zou ze gezegd hebben: 'Eindelijk, mijn oudste dochter wil een normale vrouw worden!'

2

De volgende dag: vervolg van mijn brief, en van mijn relaas

Maar ik kom terug op Padua. Ik hoefde mijn vriendinnen maar een telegram te sturen – ze vormen een culturele actiegroep en lopen altijd over van de plannen voor wat anderen zouden moeten doen – waarin ik hun mijn komst meedeelde; ik laat hun weten dat ik voortaan wil studeren en me met het oog daarop voor het komende semester als student wil laten inschrijven. Padua heeft een van de oudste universiteiten van Europa en wat me trots maakt, het is een van de weinige instellingen die het Andalusische erfgoed vrucht hebben laten dragen.

Dankzij mijn Arabische en Italiaanse vertalingen kan ik me misschien wel toeleggen op een studie geschiedenis en filosofie en, omdat ik daar dolgraag meer over wil weten, verdiepen in de Renaissance! Vol van deze plannen laat ik me door een Franstalige vriendin in Caïro *Lof der zotheid* van Erasmus cadeau doen. En ik neem mijn vliegtuig: het zou in principe aankomen op het vliegveld van Venetië. Claudia en Anna zouden over de weg uit Padua komen en me opwachten.

De hele vlucht word ik geheel en al in beslag genomen door het lezen van het beroemdste werk van Erasmus. Bovendien weet ik dat hij de eerste jaren van de zestiende eeuw in die stad gewoond heeft: eigenlijk alsof de grote man, in het verborgene alleen door mij waargenomen, me bij het uitstappen een groet kwam brengen! Iets als: 'Je bent hier thuis en bij je voorouders!'

Ik lees en lees; ik denk ik wil dit boek uit hebben voor ik aan mijn nieuwe leven begin! Want ik ga een ander leven tegemoet: ik ga een geleerde worden; ik begin op mijn zevenendertigste en geef mezelf vijf jaar! Waarom niet? Achter me, Algerije, Egypte, mijn 'vriend' die zoiets als een broer van me is geworden, en jij, daarginds, in je dorp, die ik maar niet vergeten kan...

Maar nu: tijdens de roes waarin het lezen mij, de beginneling, brengt, draait de wereld door: in Venetië hangt er 's winters vaak mist en daarom deelt de piloot mee dat het vliegtuig niet de voorziene landing kan uitvoeren en dat hij zal doorvliegen naar Triëst. De mededeling wordt pas vlak voor de landing gedaan. Ik ben met mijn gedachten elders; ik ben verdiept in het lezen van mijn boek en ben aan het dromen.

We komen aan; we stappen uit. Ik kom met een vrij luchtig gemoed buiten: het is al zover, mijn nieuwe leven ligt voor me! Mijn vriendinnen zie ik nergens: het geeft niet, ik wacht wel op ze, denk ik. Ik weet dat ik heel geduldig kan zijn en zoals altijd heb ik maar heel weinig bagage!

Zonder belangstelling voor andere reizigers ga ik op een bank zitten en lees het laatste hoofdstuk van *Lof der zotheid* uit. In mijn geval had dat 'Lof der... verstrooidheid' moeten zijn!

Zodra ik het boek uit heb, maak ik voor mezelf een heel plan: in een aantekening las ik dat Erasmus tijdens zijn leven drieduizend honderdveertig brieven schreef, allemaal gerangschikt, geïnventariseerd, en sommige zelfs in het Frans: daar begin ik mee. Er wacht me heel wat werk op de universiteit!

Erasmus in Padua: samenloop van omstandigheden, precies dan vestigen de gebroeders Barbarossa zich in Algiers. Eerst Aroedj, die Selim en Toumi, de koning van Kabylië, in zijn bad liet wurgen, en na hem zijn broer Chaireddin, die het lukte de Spanjaarden uit Peñon te verdrijven: zo begint de gewelddadige en roemrijke geschiedenis van de heersers van Algiers...

Ten slotte sta ik op; ik heb niet gemerkt hoe de tijd voorbijging en ga op informatie uit. Misschien, denk ik, staan mijn vriendinnen ergens met pech langs de weg en hebben ze een boodschap doorgegeven!

Bij de informatiebalie kom ik erachter dat ik op het vliegveld van Triëst ben en niet in Venetië! Dat een eerste bus de andere reizigers al heeft meegenomen – dat komt er niet op aan! denk ik. Dan neem ik de volgende! – en ik vraag of ze naar daarginds willen bellen om Claudia en Anna op de hoogte te stellen.

Nog steeds met een luchtig gemoed vergeef ik mezelf mijn verstrooidheid; ik glimlach nauwelijks tegen de schim van Erasmus die langs me strijkt en daar zit ik dan ten slotte in de tweede bus: een uur lang reis ik, midden in de donkere winternacht, samen met de nationale voetbalploeg die als overwinnaar, schijnt het, uit Moskou terugkeert. Ze zingen de hele rit als waren het middelbare scholieren. Grote kinderen! denk ik toegeeflijk.

Merk je het, lieve Berkane, het is een vrolijk romannetje dat ik hier zo zit te schrijven om het verhaal over mijn weerzien met Italië te vertellen. Ik omhels mijn beide vriendinnen die al ongerust waren geworden. Door de mist duurt het allemaal nog langer: in de omgeving van Padua aangekomen ziet de bestuurster, Anna, op een gegeven moment niets meer: we rijden lange tijd rond als vreemdelingen zonder kompas. Ten slotte trekt de mist op en duurt mijn opgewektheid voort: ik vind vriendschap terug, zie Italië weer en begin bovendien aan een nieuw leven!

Om alles nog eens samen te vatten: bij mijn aankomst in Venetië wachtte me dichte mist maar nooit zag ik duidelijker wat er in mijn binnenste school – verwachting, onbezorgdheid en leergierigheid – dan midden in die mist bij Padua!

Toen, om drie uur in de ochtend, terwijl ik me gereedmaakte om te gaan slapen in dat eenkamerappartement dat nu mijn woning was, ja, nam ik me voor je eindelijk eens te schrijven, openhartig tegen je te praten, je te zeggen dat ik je niet vergeten ben.

Antwoord me, je moet me antwoorden, Berkane. Ik weet zeker dat ik je ook in Padua niet zal vergeten, juist in Padua niet! Naast deze brief stuur ik je een kopie van de *Brief over dromen* van Erasmus – opnieuw hij! Een brief die hij aan twee Engelse leerlingen stuurt... maar geschreven in het Frans. Ik heb twee, drie zinnen onderstreept die je heden mogelijk van nut zijn als raadgevingen. Mocht je je niet meer veilig voelen (ik las berichten over de huidige situatie in Algerije in het in Caïro verschijnende dagblad *Al Ahram*), kom dan naar Padua!

Mijn vriendinnen hebben al 'opvang' geregeld voor schrijvers en journalisten die in gevaar verkeren. Antwoord me: ik heb mijn adres en telefoonnummer ook naar Driss gestuurd, ten behoeve van jou!

Ik denk heel veel aan je.

Nadjia

3

Driss maakt de voor Berkane bestemde brief niet open. Maar Nadjia heeft een paar vriendelijke woorden voor hem gekrabbeld op een dubbelgevouwen vel papier waarbij een getypte kopie is gevoegd van de *Brief over dromen* van Erasmus van Rotterdam, in 1508 in Padua geschreven aan Thomas Grey en aan diens broer, die studeerden in Leuven.

Ze heeft een aantal zinnen erin met rood onderstreept. Driss leest ze:

1. 'Hou op met raaskallen en keer terug naar mijn dromen!'
2. 'Twee, drie winters geleden kwam er een Pool naar Padua: ze praten met me over hem als was het een geleerd man, die graag de hemel bestudeerde.'

3. 'Ik heb het niet over de hemel van de engelen...'
En ten slotte, dikker onderstreept:
4. 'Degene die zoekt, en nog meer degene die vindt, dient zich te hoeden voor grote dwazen met een kalotje op...'

Met dezelfde rode inkt voegde Nadjia enkele aantekeningen toe. Voor Berkane, voor mij, voor zichzelf? vraagt Driss zich af: 'De aarde is niet het middelpunt van het heelal: Nicolaus Copernicus, de Pool, geeft deze waarheid aan Erasmus van Rotterdam door die sindsdien degenen die "zoeken en vinden" verzoekt zich te hoeden voor dwazen!'

'Leef heimelijk!' raadt Erasmus zijn leerlingen aan.

Als de aarde inderdaad niet 'het middelpunt van het heelal' is, dan is ons land slechts een gang, een heel smalle doorgang tussen het afgelegen en mythische Andalusië en overal waar je elders kunt zijn!

O Berkane, o Driss, waarom komen jullie niet allebei naar Padua? Om er heimelijk en bijna genotvol te leven!

Nadjia

In dat tijdelijk onderkomen heeft Driss er opeens genoeg van niet meer te weten waar hij de volgende nacht zal slapen. Ook zal hij Nadjia moeten bellen om haar van de verdwijning van Berkane op de hoogte te stellen, het bericht is zojuist openbaar gemaakt. Driss schrijft trouwens geen artikelen meer: velen nemen waarschijnlijk aan dat hij zich heeft aangesloten bij de vele intellectuelen die gevlucht zijn.

Dat verborgen leven, en heel vaak in eenzaamheid, begint hem zwaar te vallen: tweeëneenhalve maand, dat is lang! Hij wil eropuit, zien hoe mooi het ochtendlicht is, elk moment over zee kunnen uitkijken, maar het staat hem tegen dat hij daarvoor zijn uiterlijk heeft moeten veranderen. Hij heeft zijn haar heel kort laten knippen; hij trekt het jack weer aan dat hij droeg toen hij twintig was.

'Het is genoeg geweest!' zucht hij. Hij loopt met het plan rond naar het dorp Douaouda te gaan en er – waarom niet? – zijn intrek te nemen in de woning van zijn broer. Kortom, om er op de terugkeer van Berkane te wachten! De directeur van de krant raadde hem dit voornemen sterk af: 'In dat geval', kapte hij af, 'is het beter dat je net als de anderen weggaat!', daarna deed hij op een vriendelijker toon de toezegging: 'De volgende maand mag je je wekelijkse pagina weer vullen!'

Tijdens een slapeloos moment overeind geschoten, gaat hij een glas water drinken. Hij kijkt nogal stuurs in de spiegel naar zijn ingevallen gezicht, 'een ideaal doelwit voor moslimfundamentalisten!' grinnikt hij. Bitter denkt hij dat het misschien beter was geweest zijn baard te laten staan, om er net zo uit te zien als 'zij'; spottend mompelt hij tegen zijn spiegelbeeld: 'Nachtelijke confrontatie met een slachtoffer van vervolging! Twee oplossingen om mijn bewegingsvrijheid terug te krijgen, in deze "stad der stormen", zoals Berkane zou zeggen: besluiten mijn baard te laten staan, in combinatie met de schijnheilige uitdrukking van een vrome gelovige, maar dat zou ik niet kunnen; of anders me van hoofd tot voeten in een chador hullen en zo, als een vrouw verkleed, door de stad lopen! Helaas...'

Dan doemt in de kamer allesoverheersend het beeld van Nadjia op – zoals hij haar de eerste keer mee naar Berkane had genomen. Hij moet weer denken aan alle documenten van zijn broer, waarvan hij twee pakjes had gemaakt die hij aan Marise had gegeven om te zorgen dat alles op z'n minst in Parijs in veiligheid zou zijn!

In de slaapkamer van Berkane waren toen twee aan elkaar geniete blaadjes papier uit de wanordelijke stapel papieren gevallen. Toen hij ze opraapte had hij zonder erbij na te denken de in hoofdletters geschreven titel gelezen: *Stanza's voor Nadjia.* Gedachteloos had hij de twee blaadjes dubbelgevouwen, geaarzeld en ze vervolgens in een van de lades gelegd, onder de zakdoeken en het linnengoed. Niet alleen had hij niets willen lezen, uit eerbied voor zijn grote broer (zelfs grote broers blijven soms dromerige jongetjes!), maar nu vraagt hij zich af of hij, op een duistere manier, niet vooral Marise had willen ontzien die in Algiers zat en werkelijk ontroostbaar was.

Wanneer hij misschien op zijn beurt in Douaouda zou wonen, nu hij wat Berkane betreft de hoop had opgegeven, zou hij, dacht Driss, die bladzijden ooit nog wel eens lezen, waarop naar het scheen iets in de vorm van een gedicht geschreven stond. Ze uiteindelijk ook Nadjia toesturen: ze behoorden haar toe. Misschien, dacht hij, los ik zo het raadsel op met betrekking tot de terugkeer van mijn broer: waarom wilde hij in eenzaamheid schrijven?

In de zitslaapkamer waar hij ondergedoken zit, stapt Driss zijn bed weer in. Hij leest langzaam de *Brief over dromen* van Erasmus. Doezelig herhaalt hij voor zichzelf een van de door Nadjia onderstreepte zinnen: 'Ik heb het niet over de hemel van de engelen...'

Het is Erasmus die spreekt, of misschien Nadjia, of Berkane, vanaf de plek waar hij zich bevindt. Die dezelfde woorden 'over de hemel, over de hemel van de engelen!' mompelt.

Ten slotte valt Driss in het donker in slaap.

New York, 2003

De twee dichtregels die Marise op bladzijde 175 aanhaalt zijn afkomstig uit het gedicht 'De naakte koning' van Claude-Michel Cluny.